THE SCOTTISH LIBRARY

THE SCOTTISH LIBRARY

CONTEMPORARY SCOTTISH VERSE
Edited by Norman MacCaig and Alexander Scott

SCOTTISH SHORT STORIES 1800-1918
Edited by Douglas Gifford

THE SCOTTISH LIBRARY

General Editor: Alexander Scott

JAMIE THE SAXT

A Historical Comedy by

ROBERT McLELLAN

Edited by

Ian Campbell
and
Ronald D. S. Jack

CALDER & BOYARS · LONDON

First published in Great Britain in 1970
by Calder & Boyars Ltd
18 Brewer Street London W1

ISBN 0 7145 0306 1 Cloth edition
ISBN 0 7145 0307 X Paper edition

Enquiries regarding performing rights should be addressed to:
S.C.O.T.T.S. Ltd, 21 Woodside Terrace, Glasgow 3

This volume has been produced with the assistance of the
Scottish Arts Council and the publishers wish to acknowledge
with thanks the substantial help given not only by the Council
itself but by its Literature Committee without which this volume
and others in the series could not be viably published.

Printed in Great Britain by
Northumberland Press Limited
Gateshead

To

Robin Richardson

CONTENTS

Introduction   9

Jamie the Saxt   15

Glossary   131

Notes   134

Appendix One   154

Appendix Two   156

Acknowledgements   158

INTRODUCTION

I

Jamie the Saxt, subtitled "a historical comedy", is without question the most successful work of the Scottish dramatist Robert McLellan, whose works have been entertaining Scottish audiences for over thirty years. Born in 1907 near Lanark, Robert McLellan grew up and was educated in the vicinity of Glasgow, interested in literature, surrounded by Scots-speakers, and early forming a devotion to the Scottish theatre which has not since wavered. His first play dated from 1934, and he continues to produce new work from his home in the Isle of Arran, where he has lived almost continuously since his marriage in 1938.[1] Mr McLellan has revised *Jamie the Saxt* completely for this its first publication, and his wishes are followed in the text. The editors have added this introduction, glosses to the more difficult Scots words, and notes to illuminate the factual incidents on which *Jamie the Saxt* is founded. Reference is made to the Notes by a dagger (†) in the text, and to the Glossary by an asterisk (*).

II

McLellan believes that period plays, in Scots, are a viable form for the present-day theatre in Scotland. This belief presents its own difficulties, notably the barrier of language between audience and stage, and even between the actor and his material in some cases. More serious is the difficulty to be faced in having the play staged at all in the present condition of the Scottish theatre. The reasons for this are complex. Almost fifteen years

9

ago McLellan was writing of his distaste of much theatre in Scotland ". . . because I have grown so tired of seeing Scottish material vitiated in presentation by English producers".[2] This feeling persists, and underlies the recent exchanges in the press[3] in which McLellan attacked the state of the Scottish theatre. Not only producers, but actors are open to criticism. "If we are to have any reasonably well-presented Scots drama at all we shall require a company with such a command of the rhythms, idiom and vocabulary of living Scots speech as would bring classical Scots well within its grasp."

More serious still, perhaps, is the commercial pressure against the Scottish play. What is staged today is largely what will attract paying audiences, and in McLellan's view this militates against a drama in Scots. This position has recently been alleviated, of course, by the generous support of the Scottish Arts Council, which also made this publication possible. McLellan's enthusiasm is tempered by the hope that this money will be available to the dramatists directly, and not only to the producers, so that the factors governing the production of drama in Scotland will be decided by the dramatists themselves, and not by theatre directors alone.

III

These difficulties have not prevented this play, *Jamie the Saxt*, from achieving a very considerable popularity since its first performance (in Glasgow) in 1937, and from giving its author status as an accomplished writer for the stage. He can, as one reviewer wrote of the 1962 production of *Young Auchinleck*, ". . . be trusted to make the most of the nuances of Scots social behaviour, the oddities of Scots character and the peculiarities of the Scots and Scoto-English dialects".[4] This seems a fair summing-up of the appeal of McLellan's works, certainly of *Jamie the Saxt*. He is essentially presenting a portrait of a remarkable king under stress. The success of the play depends on this stress, and its continuing dramatic importance until the safety of the king and government are assured. Yet the play's popularity does not arise only from this dramatic coherence; what appeals to the audience is the skill with which the middle-class and royal life of the Old Town of Edinburgh is created, and most of all the excellence of the portrayal of character. This, coupled with good dramatic use of Scots, is the distinguishing excellence of McLellan's work. Characters such as Boswell in *Young Auchinleck* have successfully captured the public imagination, as has the re-creation of the wily pedant and skilful statesman in James VI. Much, of course, depends on the staging and representation of a period piece; particularly in *Jamie the Saxt*, with its profusion of important male characters, the strength of the cast is an important point. The King himself is the crucial figure, but scarcely less difficult is the Queen, whose Danish-flavoured Scots is extremely difficult to render convincingly. Successful players were praised for their ". . . fine Doric, so warm and flexible, as if it were their natural tongue".[5] An unsuccessful production usually was weakened, reviewers felt, by the inability of the performers to cope with the Scots. The first production was criticised for over-fast delivery of spoken Scots, which however earned praise as ". . . the most consistent Scots the stage in Scotland has ever known".[6] Mostly, however, reviews have been most favourable, describing *Jamie the Saxt* as "*admirable*",[7] ". . . not merely outstanding in the drama of Scotland; [but] outstanding anywhere".[8]

Both the play and its success are linked with the memory of the late Duncan Macrae, who played the part of Jamie in the first production (the best ever, in the author's opinion) and whose handling of it, though occasionally accused of burlesque, was very highly praised. "This is among the finest things Mr Macrae has done," said a reviewer of the later 1947 Glasgow production, "and it would be a notable performance on any stage."[9] His performances in the revivals of 1953[10] and 1956[11] were also highly praised. It was fitting that at the *première* of *Torwatletie*, in the Queen's Theatre, Glasgow, in

1946, the ovation which greeted Macrae's interpretation of the part of the chaplain should have been repaid by a tribute by Duncan Macrae to Robert McLellan from the stage.[12]

IV

The play has been sparingly glossed, and those words appearing in the glossary are given according to the page. The gloss, once given, is not repeated.

The Scots dialogue in *Jamie the Saxt* is generally straightforward, and an attempt is made to represent the pronunciation by the spelling used. Generally speaking the conventions of the "Scots Style Sheet", proposed at a meeting of the Makar's Club in Edinburgh in 1947, are followed.[13] Thus "o" (representing the English "of") is printed "o" and not "o'", "o" being a separate form and not a corruption of the English. Similarly the equivalent of English "being" appears as "bein" and not "bein'". The sound "aa" is the Scots for "all". The reader can consult the "Style Sheet" for a fuller list of these conventions.

I. C.

FOOTNOTES

1. Readers who wish further details will find them in Alexander Reid's article "Robert MacLellan" (*sic*) in *Scotland's Magazine*, 55, 1 (January, 1959), 49-50.

2. McLellan made the remark in his article "Living in Scotland To-day" in *Scottish Field* CIV, 648 (December, 1956), 34-35.

3. "'Impertinence, misrepresentation:' Native Drama in the Doldrums?", *The Scotsman*, 28 October, 1968, p. 4, and Clive Perry (director, Lyceum Theatre, Edinburgh), "Theatre needs the voice of To-day", *The Scotsman*, 23 November, 1968, supplement, p. one.

4. Ronald Mavor, in *The Scotsman*, 21 August, 1962, p. 11. *Young Auchinleck* was premièred at the Gateway Theatre during the Edinburgh Festival, 20 August, 1962.

5. *The Glasgow Herald*, 1 April, 1947, p. 6.

6. *The Glasgow Herald*, 1 April, 1937, p. 7.

7. *The Glasgow Herald*, 3 July, 1956, p. 3.

8. *The Glasgow Herald*, 1 April, 1947, p. 6.

9. *The Glasgow Herald*, 8 April, 1947, p. 7.

10. Cf. *The Glasgow Herald*, 31 March, 1953, p. 5, (*photograph*).

11. Cf. *The Glasgow Herald*, 3 July, 1956, p. 3.

12. *The Glasgow Herald*, 19 November, 1946, p. 6.

13. "Scots Style Sheet", printed in *Scottish International*, I (January, 1968), 37-38. It also appears in *Lines Review*, IX (August, 1955), 29-31.

JAMIE THE SAXT

A Historical Comedy in Four Acts

By Robert McLellan

Characters

RAB, *apprentice to Nicoll Edward.*

MISTRESS EDWARD

BAILIE MORISON, *an Edinburgh shipping merchant.*

HER GRACE QUEEN ANNE OF SCOTLAND, *formerly Princess Anne of Denmark.*

MARGARET VINSTAR, *a lady-in waiting.*

THE LAIRD LOGIE, *a gentleman of the King's chamber.*

THE LORD ATHOLL

THE LADY ATHOLL

HIS GRACE KING JAMES *the Sixth of Scotland.*

BAILIE NICOLL EDWARD, *an Edinburgh cloth merchant.*

THE LORD SPYNIE, *a gentleman of the King's chamber.*

JOHN MAITLAND *of Thirlstane, the Lord Chancellor.*

THE LORD OCHILTREE

LODOVICK STEWART, *Duke of Lennox.*

SIR ROBERT BOWES, *resident ambassador from her Majesty Queen Elizabeth of England.*

SIR JAMES MELVILLE

FRANCIS STEWART, *Earl of Bothwell.*

JOHN COLVILLE, *an accomplice of Bothwell's.*

ROBERT BRUCE, *a preacher.*

THE EARL OF MORTON

The Earl of Morton's fair daughter.

Sir Robert Bowes' English servant.

17

Setting

ACT I : "The Kingis ludging in Nicoll Eduardis hous in Nithreis
Wynd" Edinburgh, VII February, 1591 Evening
ACT II : "The Kingis chalmer* in the palace of Halyroudhous"
Edinburgh, XXIV July, 1593 Morning
ACT III : "The Kingis chalmer in the palace of Halyroudhous"
Edinburgh, XI August, 1593 Early morning
ACT IV : "Nicoll Eduardis hous in Nithreis Wynd" Edinburgh,
XV September, 1594 Late afternoon

*(The scene locations are as given in Moysie's Memoirs,
and illustrate the language of the period)†*

ACT I

A room in the house of BAILIE NICOLL EDWARD. *In the middle of
the left wall a huge open fire-place. In the middle of the back
wall a door leading to the dining-room and kitchen apartments.
In the back right-hand corner a door leading in from a turnpike
staircase. In the middle of the right wall a window.*

*Armchairs beside the fire. Against the back wall, to the left of
the middle door, an awmrie,* and to the right of the door a
compter.* By the window a low bench. In the centre of the
floor a table with paper, pens, ink and candlesticks. A chair
behind the table.*

*It is late afternoon, and the room derives most of its light from
the fire. The lower half of the window is shuttered, but in the
shutters is a large hole which enables people in the room to put
their heads out and view the wynd below.*

MISTRESS EDWARD *enters from the dining-room. She carries a
lit candle which she places on the table. She sorts the fire then
moves to the window and looks out through the shutter-hole.
She moves to the table and starts to peer furtively at the papers
on it.*

RAB, *apprentice to* NICOLL EDWARD, *comes up the turnpike stair
from the booth below.* MISTRESS EDWARD *retreats hastily from
the table.*

RAB : (*Outside*) Mistress Edward!

MRS E : What is't?

RAB : (*Entering*) Bailie Morison's doun in the booth.*† He wants
to ken if the King's back frae the hunt.

21

MRS E: And did ye tell him no?

RAB: Ay, but he hasna gaen awa. I think he ettles* to be askit up.

MRS E: Nae dout. He canna bide awa frae the door whan we hae the King here. He hates to see his Grace in ony hoose bune his ain. What is he wantin? His supper, nae dout, and a nicht's drinking wi royalty.

RAB: Wheesht! He's comin up!

MRS E: Mercy me! Doun wi ye, then.

(RAB *leaves.*)

BAILIE M: (*Outside*) Mistress Edward!

MRS E: Ay, Bailie, come in. (*He does so*) Dae ye want to see Nicoll? He's oot wi the King.

BAILIE M: I ken. I want ye to let me bide here till they come hame. There's a ploy afute i' the Toun. The King maun hear aboot it.

MRS E: Can ye no ride oot to meet him?

BAILIE M: I maun dae naething to cause suspeecion. Gin I were seen gaun through the ports* it micht haste maitters on.

MRS E: Is it something bye the ordinar?

BAILIE M: Weill, Mistress Edward, ye'll ken fine, yer guid man bein a Bailie himsell, that I maun gaird aye my tongue weill in maitters that affect the Toun.

MRS E: Oh, is it some Toun maitter. I warn ye Bailie, that the King daesna like to be deived wi the clash* o the Toun whan he comes in hungert frae the hunt. Can ye no gang to the Toun Gaird?† Hae ye seen the Provost?

BAILIE M: The Provost's at Leith for the horse-racin, and it's a maitter that the Toun Gaird couldna settle. It micht, I may tell ye, mean a cry at the Cross for the haill Toun to rise.

MRS E: Bailie! Dinna tell me it's anither o Bothwell's ploys! He canna ettle to attack the King here?†

BAILIE M: My guid wumman, ye need fear naething like that. Bothwell's mebbe at haund, but he daurna come near the Toun. It's ower weill gairdit against him.

MRS E: And there's nae hairm ettled* to the hoose here?

BAILIE M: It's naething like that.

MRS E: I'm gled to hear it. But the Toun micht hae to rise, ye say?

BAILIE M: It micht, and again it micht no. It'll depend on the King.

MRS E: Weill, it's a blessin he's a peacable man, and fonder o his books nor o fechtin. Ye maun sit down, Bailie, and I'll licht a wheen maur caunles, for the gloamin's weirin on.

BAILIE M: (Sitting) Thank ye.

MRS E: (Lighting the candles on the table) We're leivin in steerin times.

BAILIE M: Ay.

MRS E: I haurdly sleep at nichts, wi the King here. It's a great responsibeelity.

BAILIE M: Ay, it's aa that.

MRS E: Yon was an awfou nicht doun at the Palace. I hear ye were in the thick o't.

BAILIE M: Ay, I was gey thrang for a while.

MRS E: Ye suld hae seen the marks on Nicoll's shouthers wi the clowts* he gat. And frae some o his ain toun's-folk, he said. It's his opeenion that some wha suld hae been fechtin for the King were on the side o Bothwell.†

BAILIE M: Weill, Mistress Edward, I wadna woner but he's richt.

MRS E: I'm shair he is. It gars ye woner what the country's comin to, that the like o Bothwell, that's been put to the horn*† for brekin oot o the Castle jeyl, can fin freinds in this Toun to help him herry* the King in his ain Palace! Did ye see the wrack they made o't? I was doun wi the Queen and some o the leddies the ither day, to see hou faur they had gotten wi the sortin o't, and it fair gart my hairt stoun to see the bonnie wuid-wark sae sair hasht. It'll cost a hantle o guid siller afore it's aa as it was, and the King can ill afford it, puir laddie. I may tell ye, Bailie, in confidence, that it'll be a gey lang while afore Habbie Tamson the jeyner's peyed for the wark he's daein doun there the nou.

23

BAILIE M: Oh that's nae news to me, Mistress Edward. Habbie Tamson the jeyner isna the only man i' the Toun that has an accoont wi the King, though some o us are faur mair loyal nor mention the maitter.

MRS E: Ye're richt, Bailie, ye're richt. Mony a braw bale o fine claith his Grace has haen frae Nicoll that we dinna mention, and nae dout ye hae pairtit yersell wi mair nor ae bonnie nick-nack frae Flanders.†

BAILIE M: Weill, mebbe, mebbe. But I'm sayin naething.

MRS E: I ken, I ken. And it daes ye credit. And efter aa what's a wheen bales o claith, or a bit fancy kist,* atween loyal subjects and their Sovereign. It's mair shame on the corbies* at Coort that rob him o ilka bawbee o the Croun rents. But shame on me, Bailie! Ye'll hae a dram?

BAILIE M: Sin ye speir, Mistress, I'll tak it gledly. The reik o that witch they were burnin at the Cross the day gat fair doun my thrapple.†

MRS E: (Pouring a drink) Ay, it was gey thick for a while, and it maks an unco stink. I woner ye canna gar them dae aa the burnin on the Castle Hill.

BAILIE M: For shame, Mistress Edward, and ye a Bailie's wife! Ye ken fine the folk maun be weill warnt no to meddle wi the Deil, and the burnins on the Castle Hill are ower faur oot o the wey to bring the warnin hame. There hae been ower mony o thae auld beldams at their dirty wark this year.

MRS E: Weill, Bailie, ye're mebbe richt. But drink that up.

BAILIE M: (Accepting drink) Thank ye. Yer guid health.

MRS E: Aa the same, it isna the puir auld craiturs o witches I blame, sae muckle as the like o Bothwell that sets them on.† Gin ye had heard o aa the spells he's gart them wark against the King, Bailie, ye'd be fair dumfounert.

BAILIE M: Mistress Edward, naething ye ken aboot their spells wad dumfouner me. I was at their trials i' the Tolbooth.

MRS E: Ay, ay, Bailie, but there's a lot that didna come oot at their trials. There's a lot cam oot whan they were brocht

24

afore the King himsell that maist folk dinna ken. The King can sort them. He just speirs and speirs at them, and be they eir sae thrawn, afore lang he has them roun his pinkie.

BAILIE M: Ye'll paurdon me, but he shairly hasna speirt at ony o them here?

MRS E: Oh ye woner hou I ken. Dae ye see thae papers?

BAILIE M: Ay.

MRS E: Dae ye see the writin?

BAILIE M: Ay.

MRS E: It's aa in the King's ain haund. And what dae ye think it's aboot?

BAILIE M: What?

MRS E: Witches!

BAILIE M: Shairly no!

MRS E: I tell ye it's aboot witches. It's a book he's writin,† and ilka ill notion he worms oot o them efter they're put to the torture, he writes doun there in ink. Bailie, there are queer things in that book.

BAILIE M: I daursay. Hae ye read it?

MRS E: Me! Read! Na na, Bailie, ye ken fine I'm nae scholar. But I ken what's in the book for aa that, for there's mony a nicht efter supper whan we'll sit ben there and talk, and aye the talk's aboot the book, and the next chapter, and what he's gaun to write. And it's queer talk, some o it. The things thae beldams dae, wi taids and cats and cauves' heids, to say naething o deid men's innards, wad fair gar ye grue.*

BAILIE M: It's a woner he isna feart to meddle wi the craiturs. Ye wad think he micht bring himsell to hairm.

MRS E: Na na, Bailie, that's whaur ye're wrang. He says they can dae nae hairm to him wi their spells, because he's the Lord's anointit. And it's a guid thing, or Bothwell wad hae haen him lang eir this. (*There is a sound of chatter from the Wynd below*) But what's that? I hear a steer. (*She has a look through the shutter-hole*) It's the Queen's Grace hersell, and ane o her leddies, wi the Duke o Lennox and the young Laird Logie. My Lord Lennox is takin his leave, it seems, and I'm no surprised. The mair he bides awa frae the King the nou the better.†

BAILIE M: Deed ay. It's a peety he canna bide awa frae the Queen tae. He's aye at her tail. And she daesna seem to discourage him ony. I sair dout, though I'm sweirt to think it, that she's no aa she sould be.

MRS E: Hoots toots, Bailie, if my Lord Lennox is saft eneugh to gang trailin ahint her aa day ye canna say it's her faut.

BAILIE M: I wadna gin it were the first affair. Hae ye forgotten her ongauns wi the Earl o Moray?†

MRS E: Ah weill nou, Bailie, there was mebbe something in that. There's nane but has a saft side for the Bonnie Earl.

BAILIE M: I ken ane wha hasna.

MRS E: And wha's that?

BAILIE M: My Lord Huntly.†

MRS E: And wha cares for the like o him! But wheesht!

(*Her Grace* QUEEN ANNE, LADY MARGARET VINSTAR *and the* LAIRD LOGIE *appear on the turnpike stair. The* QUEEN *stands within the doorway, with the others behind her.* MRS EDWARD *curtsies and the* BAILIE *bows low.*)

THE QUEEN: (*Speaking with a Danish accent*) Ah, Mistress Edward, ye hae a veesitor! Guid ein, Bailie. Ye are weill, eh?

BAILIE M: Yer Grace, I canna grummle.

THE QUEEN: Grummle, eh?

BAILIE M: I'm haill and hairty.

THE QUEEN: (*Doubtfully*) Ah, I see. That is guid. And Mistress Morison? She is weill, eh?

BAILIE M: Ay, yer Grace, she's weill tae.

THE QUEEN: And the bairns?

BAILIE M: They're weill tae.

THE QUEEN: Ye are aa weill tae, eh?

BAILIE M: Ay, yer Grace, juist that.

THE QUEEN: See, the last time I see ye I couldna speak. I speak nou. Logie he say I hae a guid Scots tongue in my heid afore lang.

LOGIE : Yer Grace, ye talk like a native already.

THE QUEEN : Ah Logie, ye flaitter me. But Bailie. My Leddy Vinstar. Ye haena met her. She is my freind frae Denmark. Margaret, this is the Bailie Morison. He is a magistrate o the Toun. He is gey, what ye say, kenspeckle.* And he is gey weill-aff. He has mony ships that sail to Flanders. Eh, Bailie?

BAILIE M : Weill, ane or twa.

THE QUEEN : Ane or twa. He disnae ken. But he kens fine. He daesna like to, what ye say, blaw his ain horn, eh?

MRS E : He has fower, yer Grace.

THE QUEEN : He has fower. Ye see, he maun hae muckle gowd. But Mistress Edward, we maun gang and mak ready for supper. My Lord and Leddy Atholl. They come the nicht, eh?

MRS E : Ay, yer Grace, they suld be here ony meenit.

THE QUEEN : Ony meenit. Guid. And his Grace?

MRS E : He isna back frae the hunt yet, yer Grace.

THE QUEEN : Na. Weill, I gang. The Bailie. Daes he bide for supper, eh?

BAILIE M : Yer Grace, ye'll paurdon me, but I canna.

THE QUEEN : No bide. That is a peety. But I maun gang. Guid ein, Bailie, and tell Mistress Morison I send her my guid thochts.

BAILIE M : (Bowing) Guid ein, yer Grace, I will that.

THE QUEEN : We leave Logie. He trail ahint Margaret ower muckle.†

LOGIE : (Bowing as MARGARET curtsies) I couldna dae that, yer Grace.

(The QUEEN and LADY MARGARET go up the turnpike stair. MRS EDWARD makes a belated curtsy as they go.)

MRS E : Weill, Laird, I maun gang and see that the lassies hae the supper ready to serve. Ye'll keep the Bailie company till the King comes?

LOGIE : Shairly, Mistress, for I see he has a stoup o wine aside him.

MRS E : That's richt. Help yersell.

LOGIE: Thank ye.

(LOGIE *and the* BAILIE *bow as* MRS EDWARD, *with a slight bob, withdraws into the dining-room.*)

LOGIE: (*Helping himself*) Sae ye're waitin for the King, Bailie? Dinna tell me ye hae turnt a coortier.

BAILIE M: Dinna fash, Laird. I hae mair to dae nor hing aboot the coat-tails o lassies frae morn till nicht.

LOGIE: The coat-tails o the King pey better, mebbe?

BAILIE M: I'm no the King's teyler, Laird, but I dout if they dae.

LOGIE: (*Laughing*) Weill said, Bailie. But I didna suggest it was the want o siller that's brocht ye til his Grace. There's sic a thing as warkin yer neb in for the sake o pouer.

BAILIE M: There's sic a thing as wantin to dae his Grace a service, Laird.

LOGIE: And what service hae ye come to dae the nicht?

BAILIE M: He'll learn whan he comes.

LOGIE: (*With a change of manner*) Bailie, whause side are ye on.

BAILIE M: What!

LOGIE: Are ye for the King or Bothwell?

BAILIE M: Hou daur ye ask me that, ye brazen scroondrel!

LOGIE: Come come nou, Bailie, ye needna tak it ill. Ye'll ken that ein aboot the Coort there's mony a man whause colours arena kent, and weill, Bailie, I ken ye're a guid douce member o the Kirk, and maun hae a haillsome hatred o the Papists.

BAILIE M: And what if I hae?

LOGIE: Isna Bothwell Protestant?

BAILIE M: He may caa himsell that, but in my opeenion a man wha meddles wi witches has nae richt to the name. And whan it comes to that, isna the King Protestant himsell?

LOGIE: He's gey chief* wi the Papist Huntly, Bailie, and in the opeenion o maist o yer Kirk freinds, a man wha meddles wi idolators has nae richt to the name aither. Shairly, Bailie, as a pillar o the Kirk,† ye maun be sair grieved that the King can hae freinds amang the Papists?

BAILIE M: I thocht ye were Protestant yersell, Laird.

LOGIE: Weill?

BAILIE M: Is it no clear? Gin ye can serve the King and be Protestant, as weill can I. But here are my Lord and Leddy Atholl.

(LORD *and* LADY ATHOLL *enter from the turnpike stair.*)

LOGIE: (*Bowing*) Guid ein, my Lord and Leddy.

ATHOLL: Guid ein, Laird. Ah Bailie, ye're there.

(*The* BAILIE *bows.* LADY ATHOLL *bobs, smiling.*)

LADY A: The King isna back yet? I suppose her Grace is up the stair?

LOGIE: She gaed up no a meenit syne.

LADY A: Weill, I'll leave ye. But whaur's my Lord Lennox, Logie? Wasna he alang wi ye this efternune?

LOGIE: My Lord Lennox took his leave at the door. He thinks the Queen'll hae mair peace to her meat gin he bides awa.

LADY A: Oh, sae the King's growin jealous?

LOGIE: Ay, he preached her a lang sermon in the bed last nicht.

LADY A: Dear me, I maun hear aboot that.

(*She bobs hastily and hurries upstairs.*)

LOGIE: Weill, Bailie, are ye scandalised?

BAILIE M: I'm beginnin to think his Grace hasna mony freinds aboot his ain Coort, Laird.

LOGIE: (*To* ATHOLL) Ye see, my Lord. Watch what ye say in front o the Bailie. He's a loyal man for the King.

ATHOLL: Dear me, Bailie, ye shairly resent his traffic wi the Papists. I thocht ye were haill-hairtit for the Kirk.

BAILIE M: (*Huffed*) Gin ye'll paurdon me, my Lord, I'll tak mysell ben the hoose.

(*He withdraws into the dining-room.*)

LOGIE: And that's that.

ATHOLL: Sae the Toun's loyal?

LOGIE: Ay, but there's little in it. They wad be aa for Bothwell gin it werena for his witchcraft. It's a peety he didna stey in jeyl and staun his trial for it, insteid o brekin oot and rinnin wild.

ATHOLL: I daursay, Laird, but Bothwell's like the rest o's. He wud suner hae a haill skin nor risk his life to a trial. What were ye sayin aboot the Queen and Lennox?

LOGIE: The King has the notion that they're mair nor friends. Someane's been clypin.*

ATHOLL: The Chancellor again?

LOGIE: Nane else. He had an audience in here last nicht.

ATHOLL: I kent it. God, he's an auld tod!* He gat redd o the Bonnie Earl in juist the same wey.† I tell ye, Logie, it's time his wings were clipped. When ony bune himsell begin to win favour he sterts his trickery and oot they gang. And aa the time he feathers his nest. Whan eir there's a lump o grun gaun beggin wha gets it? My Lord the Chancellor. It wad seiken ye. It haurdly peys to attend the Coort at aa.

LOGIE: Weill, my Lord, he could be redd oot the morn.

ATHOLL: Hou that? He has the King roun his fingers and the Papists at his back.

LOGIE: We could bring in Bothwell.

ATHOLL: And Bothwell wi the Toun against him for his witchcraft! Na na, Laird. There's nae gaun that gait.*

LOGIE: The Toun hates Papery tae, my Lord. Gin the traffic wi the Papists gangs ower faur the Toun'll cheynge its front.

ATHOLL: I daursay, but hou faur will the traffic wi the Papists gang? The King looks aye to the English Queen for siller. He'll get nane as lang as the Papists are at Coort.

LOGIE: There's as muckle gowd in Papist Spain as there is in Protestant England.

ATHOLL: But he daurna touch the Spanish gowd!

LOGIE: Juist that! The Toun wad flee to Bothwell's side at ance, witchcraft or no. I tell ye, my Lord, the tide'll sune turn. And whan it daes we suld be ready, at Bothwell's back!

ATHOLL: Ye seem to be a freind o his.

LOGIE: I hate the Chancellor.

ATHOLL: Ay, weill, we'll see. (*There are sounds of yelling and cheering from the Wynd below*) But there's the rabble in the Wynd. His Grace maun be back frae the hunt.

(MISTRESS EDWARD *enters with a jug of steaming spirits and some stoups.*)

MRS E: (*Bobbing*) Guid ein, my Lord Atholl. (ATHOLL *bows*) Ye're juist in time. His Grace is in the Wynd.

(*She places the jug and stoups* on the compter and goes to the window.*)

MRS E: Dear me, it's turnt gey quick daurk. I hope the Toun Gaird's here in time the day, for the rabble herrit the booth twa days syne, and we lost twa bales o claith. (*She pokes her head out of the shutter-hole, looks for a moment and continues*) I canna richt mak oot, wi the wind blawin at the links, but Nicoll maun hae tummlet in a moss-hole. He's thick wi glaur.* (*She pokes her head out again*)

LOGIE: He'll be a braw sicht at the table. Her Grace'll be scunnert* the nicht again.

ATHOLL: It's Nicoll that peys for the meat, Laird, sae what can she dae?

MRS E: (*Withdrawing her head from the shutter-hole*) They're in nou. They'll be gey cauld and tired. But what were ye sayin to the Bailie, the pair o ye? He's sittin ben there like a clockin hen.

LOGIE: He couldna thole oor licht conversation.

MRS E: He says there's some ploy afute i' the Toun. But here they come.

(*The three group themselves and wait, listening. His Grace* KING JAMES *enters with* LORD SPYNIE *and* BAILIE NICOLL EDWARD. LOGIE *and* ATHOLL *bow low.* MRS EDWARD *curtsies elaborately. The* KING *walks in, loosening his jerkin at the neck, and falls plump into a chair.* NICOLL EDWARD *and* SPYNIE *also loosen their jerkins.* BAILIE MORISON *appears at the door of the dining-room, unheeded.*)

31

THE KING: (*Entering, almost exhausted*) Ay weill, here we are. (*Falling into his chair*) God, I'm wabbit!*

MRS E: (*Running to the compter for the jug and stoup*) Here, yer Grace, hae a guid lang dram.

THE KING: Thank ye. And gie ane to Nicoll, for I'm shair he needs it. Yer guid health.

MRS E: Thank ye. (*Passing NICOLL*) Oh Nicoll, ye're a sicht! (*Starting to fill another stoup*) Ye'll hae a dram, Lord Spynie?

SPYNIE: I will that. (*Taking the stoup*) Thank ye.

MRS E: (*Facing NICOLL with the jug in one hand and a stoup in the other*) Nicoll, what in aa the warld were ye daein to get intil a mess like that?

NICOLL: (*Impatiently*) Gie me a dram. I had a bit tummle.

THE KING: (*Taking his nose out of his stoup*) By God he had that! My guid wumman, ye gey near lost yer man the day.

MRS E: Lost my man?

THE KING: Ay lost yer man! It's a woner his neck wasna broken. He gaed clean ower his horse's heid on Corstorphine Craigs.

MRS E: Oh Nicoll, what hae I aye telt ye! Ye will hunt, and ye can nae mair sit on a horse nor flee in the air. Drink that up, see, and then cheynge yer claes.

NICOLL: (*Taking his stoup and raising it to his lips*) Ach I'm ower hungry.

MRS E: Oh but ye'll hae to cheynge. Ye canna sit doun aside the leddies like that. Yer Grace, I'm shair he maun cheynge his claes?

THE KING: (*With his nose in his stoup*) Eh?

MRS E: I'm shair he canna sit doun like that?

THE KING: (*Coming up for a breath*) Like what? Whaur?

MRS E: He canna gang in for his supper aa glaur.

THE KING: Hoot, wumman, dinna be hard on him. He's stervin o hunger. (*He buries his nose again*)

MRS E: But he'll fair shame us.

NICOLL: (*Having emptied his stoup in one long draught*) Eh?

MRS E: I say ye'll shame us.

NICOLL: Dinna blether, wumman. Fill up my stoup again.

(*Suddenly noticing* BAILIE MORISON) But dear me, I didna ken we had the Bailie in the hoose.

(*All turn and look at* BAILIE MORISON.)

MRS E: Oh ay, Bailie Morison cam to see ye, yer Grace, aboot some Toun maitter.

THE KING: Weill, Bailie, it'll hae to wait. Man, I woner at ye. Ye hae a Provost, Bailies, Deacons and a Gaird and ye come rinnin aye to me whan onything gangs wrang. What is it this time? Has there been anither coo stolen frae the Burgh Muir?

BAILIE M: Na, yer Grace, it's naething like that.

THE KING: Oot wi't, then. God, ye hae a gey lang face. It's naething bye the ordinar, shairly? (*Eagerly*) Ye haena foun anither witch?

BAILIE M: Na.

THE KING: Then what's the maitter?

BAILIE M: (*Indicating by his manner that the presence of the others makes him reluctant to speak*) Weill, yer Grace, there's mebbe naething in it.

MRS E: I'll leave ye, yer Grace, and hae the supper served in case I'm in the wey.

(*She curtsies and leaves, giving the* BAILIE *a resentful look.*)

THE KING: Come on Bailie, oot wi't. They're aa in my Cooncil here bune Nicoll, and he's a Bailie like yersell.

BAILIE M: There are horsemen getherin in Hackerton's Wynd. They're gaun to ride for Dunibrissel at the chap o seiven.†

THE KING: What! Hou did ye fin that oot?

BAILIE M: I was brocht word frae the yill-hoose in Curror's Close. Some o the men were heard talkin.

THE KING: Whause men were they?

BAILIE M: My Lord Ochiltree's.

THE KING: Sae that's the wey o't? Whaur's Ochiltree the nou?

BAILIE M: At his ludgin in the Schule Wynd.

THE KING: Richt. Gae to the Captain o the Toun Gaird and tell him to shut aa the ports. Let naebody leave the Toun. Hurry.

I'm gled ye cam. (*The* BAILIE *bows and hurries out*) Logie, ye'll fin Ochiltree and gar him come to me.† (LOGIE *bows and hurries out*) Atholl, did ye ken o this?

ATHOLL: Na, yer Grace.

THE KING: Did ye see naething?

ATHOLL: No a thing.

THE KING: Ochiltree rade oot o the Toun this mornin. Whan did he come back?

ATHOLL: I dinna ken.

THE KING: Hae ye been i' the Toun aa day?

ATHOLL: I cam up frae the Abbey aboot an hour syne.

THE KING: Ye wad come in by the Nether Bow?†

ATHOLL: Ay.

THE KING: And ye saw nae horsemen?

ATHOLL: Ane or twa, but nane bandit thegither.

THE KING: Were they Ochiltree's?

ATHOLL: Some o them.

THE KING: I kent it! Atholl, ye'll fetch the Chancellor! At ance! (ATHOLL *bows and hurries out*) God, Nicoll, did ye see his face the nou? He hates the Chancellor like pousin. Spynie, ye'll haud the door, and see that nane pass in bune the anes I hae sent for. (SPYNIE *bows and leaves*) The doors in the Wynd'll be gairdit, Nicoll?

NICOLL: Ay, but ye shairly dinna lippen* to be hairmed here?

THE KING: Na, na, but I'm takin nae risks.

NICOLL: What is it that's wrang?

THE KING: Dinna heed the nou. Ye'll tell yer guid wife to let the supper stert withoot me.

NICOLL: Ye'll hae to tak a bite, though.

THE KING: Later on, I tell ye.

NICOLL: The mistress'll be gey vexed.

THE KING: I canna help it, Nicoll. Tell her I maun be left alane. Awa wi ye.

(NICOLL *retires to the dining-room. The* KING *is obviously agitated.* SPYNIE *enters.*)

34

SPYNIE: Yer Grace?

THE KING: Ay?

SPYNIE: Her Grace wad like to ken if ye're gaun ben for supper.

THE KING: Tell her to stert withoot me.

(*The* QUEEN *enters as he speaks.*)

THE QUEEN: What, eh? Ye no come ben for supper?

THE KING: Na, I'm no gaun ben for supper! Stert withoot me!

THE QUEEN: What is it that is wrang?

THE KING: Naething!

THE QUEEN: (*Meaningly*) It is Ochiltree, eh?

THE KING: (*Angrily*) Hou in aa the warld did ye fin that oot?

THE QUEEN: Spynie. He tell me.

THE KING: Then he suld hae his lang tongue cut oot by the rute! Spynie!

(SPYNIE enters.)

SPYNIE: Ay, yer Grace?

THE KING: Try to learn to keep yer mooth shut!

SPYNIE: Eh?

THE KING: Dinna gang tellin the haill hoose what's gaun on!

SPYNIE: I hae telt naebody bune her Grace.

THE KING: Ye had nae richt to tell her Grace! Gin I want her to ken what's gaun on I'll tell her mysell! Oot wi ye!

(SPYNIE *bows and leaves.*)

THE QUEEN: That was nae wey to talk! Ye insult me! What wey suld I no ken what the ithers, they ken? Gin ye dinna tell me I will gang awa! I will stey at Lithgie and no come near! †

THE KING: (*Pushing her persuasively*) See here, Annie, awa ben and tak yer supper.

THE QUEEN: Haunds aff! Oh I am angert! I ken what it is! Ye are feart I fin oot! Ochiltree he ride to Dunibrissel!

THE KING: No if I can help it!

THE QUEEN: What wey for no? What is wrang at Dunibrissel

that Ochiltree he want to gang? The Earl o Moray. He maun
be in danger! Ochiltree is his freind!

THE KING: Dinna shout, then!

THE QUEEN: I shout if I like! I yowl!

(SPYNIE *enters.*)

SPYNIE: Yer Grace?

THE KING: What is it nou?

SPYNIE: My Lord the Chancellor.

(MAITLAND *of Thirlstane enters.* SPYNIE *retires.*)

MAITLAND: Ye sent for me.

THE KING: Ay, Jock, the cat's oot o the bag nou!

MAITLAND: What!

THE KING: Ochiltree's back in the Toun! He's raisin men! He
means to ride for Dunibrissel!

MAITLAND: He maun be stoppit! Hae ye sent for him?

THE KING: Ay.

MAITLAND: Then threaten him wi the gallows if he leaves the
Toun! Hae ye ordert the Toun Gaird to shut the ports?

THE KING: Ay.

MAITLAND: Then we'll manage yet. Hou mony ken what he's
efter?

THE QUEEN: I ken what he is efter!

MAITLAND: Eh!

THE QUEEN: He ride to help the Earl o Moray!

MAITLAND: Come come nou, yer Grace, what maks ye think
that?

THE QUEEN: He is the Earl his freind!

MAITLAND: But what maks ye think the Earl's at Dunibrissel?

THE QUEEN: It is the Earl, his mither's hoose! He gang there aff
and on!

MAITLAND: And what hairm can come to him there?

THE QUEEN: I dinna ken. But I ken ye baith hate him. I ken yer
freind Huntly hate him. I ken Huntly is awa north! And ye
dinna want Ochiltree to gang! Ye hae some plot!†

36

MAITLAND: Hoots, ye're haverin!

THE QUEEN: Hoo daur ye say like that! I am the Queen!

THE KING: Ay, Jock, watch hou ye talk to her.

THE QUEEN: Ye are a bad ane! Jamie he hate the Bonnie Earl for he is jealous. What wey is he jealous? Because ye tell him lees! Ye dae the same last nicht. Ye say the Lord Lennox he luve me and I trail my skirt!

MAITLAND: Sae he daes and sae ye dae!

THE QUEEN: It is aa wrang! It is bare-faced! But I ken what ye are efter. Ye mak Jamie hate me for ye want to bide at Coort! Ye ken I want Jamie to send ye awa! And ye will gang yet!

THE KING: He'll gang whan I say.

THE QUEEN: He will gang if ye say or no! He is aye ahint the bother, frae the very stert. When ye wantit to mairry me he say no! He say mairry the Princess o Navarre!† What wey? Because the English Queen she think I wasna guid Protestant and pey him siller!

MAITLAND: That's a lee!

THE KING: Na, na, Jock, she has ye there.

MAITLAND: It's a lee aboot the siller.

THE QUEEN: It is nae lee!

MAITLAND: It is a lee!

THE QUEEN: Jamie, ye let him say like that!

THE KING: Hoots awa, there's nae need for me to interfere. Ye can haud yer ain fine.

THE QUEEN: Haud my ain. Oh, ye are hairtless! But I say he will gang!

THE KING: Na na, he's needit.

(SPYNIE *enters.*)

SPYNIE: Yer Grace. My Lord Ochiltree.

(OCHILTREE *enters.* SPYNIE *retires.*)

THE QUEEN: My Lord, at Dunibrissel? What is wrang?

OCHILTREE: Yer Grace, Huntly left the Toun this mornin wi mair nor a hunder o his men, to mak for the Leith races. He didna gang near them! He crossed the Firth at the Queen's Ferry and rade for Dunibrissel!† And the Bonnie Earl's there wi haurdly a man!

THE QUEEN: I kent!

OCHILTREE: There's mair to tell! I gaed to cross mysell, to see what was wrang, and was held up at the Ferry! I was telt that the King and Chancellor had ordert that nae boats were to cross!

THE QUEEN: See! I was richt! It is a plot!

MAITLAND: Sae ye cam back here and stertit to raise yer men, eh?

OCHILTREE: I did, and I'm gaun to ride for Dunibrissel if I hae to fecht my wey oot o the Toun!

MAITLAND: That's juist what ye'll hae to dae, my Lord! The ports are shut against ye!

THE QUEEN: (*To* MAITLAND) Ye will let him gang!

THE KING: Haud ye yer tongue, see!

THE QUEEN: I winna haud my tongue! I will tell Lennox! I will tell Atholl!

THE KING: Stey whaur ye are!

THE QUEEN: I winna!

(*She rushes out.*)

THE KING: Spynie! Haud the door!

SPYNIE: (*Entering after a short lapse of time and bowing*) Did ye speak, yer Grace?

THE KING: Ye thowless* gowk! Did I no tell ye to haud the door?

SPYNIE: I'm hauding the door. Ye shairly didna want me to stop her Grace.

THE KING: Gae oot o my sicht! (SPYNIE *retires with dignity*) Jock, what'll we dae?

MAITLAND: Naething. Let them come.

OCHILTREE: Ye'll hae a lot to answer for, yer Grace. Huntly wasna held up at the Ferry!

THE KING: Huntly had a warrant to bring the Earl to me!

38

OCHILTREE: Oh, sae ye hae tricked me! Yer Grace, I'll nair forgie ye if the Earl comes to hairm.† I gart him come to Dunibrissel sae that I could tak Huntly ower and end the feud atween them. Huntly was to cross wi me the morn withoot his men. Nane were to ken bune the three o's and yersell. Ye hae taen a gey mean advantage o yer knowledge!

THE KING: Man, Ochiltree, we didna issue a warrant against the Earl for naething!

OCHILTREE: What has he dune?

THE KING: He was haund in gluve wi Bothwell in the last attack on the Palace!

OCHILTREE: That isna true!

THE KING: It is! He was seen at the fute o the Canongait whan the steer was at its warst!

OCHILTREE: Wha telt ye that? Some o the Chancellor's bribed freinds!

THE KING: Ye'll see them whan they come forrit at the Earl's trial!

OCHILTREE: What wey hae they no come forrit afore this?

THE KING: Because they had to be brocht!

OCHILTREE: Ye hae tortured them! They wad say onything!

THE KING: Hoots awa, man, there's nae need to wark yersel intil a rage!

MAITLAND: Yer freind'll hae a fair trial! What mair can ye ask?

OCHILTREE: If I thocht he wad leive to see his trial!

THE KING: Guid God, man, hae ye no my word for it! (*Suddenly alarmed*) What's that!

(*The door of the dining-room opens and the* QUEEN *enters with* LENNOX *and* ATHOLL.)

LENNOX: What's wrang at Dunibrissel?

OCHILTREE: Huntly has a warrant to bring in the Bonnie Earl!

LENNOX: What for?

THE KING: For bein a fause-hairtit traitor haund in gluve wi Bothwell!

LENNOX: Yer Grace, that isna true!

THE KING: It is!

LENNOX: Ye canna prove it!

MAITLAND: Gin we dinna prove it, Lennox, he'll come to nae hairm! He'll hae his trial afore the Lords o the Session!

LENNOX: His trial! Ye sleekit hypocrite! Ye ken as weill as the rest o's that he winna see the licht o anither day! Didna his wife's faither the Guid Regent send auld Huntly to the scaffold! Huntly's been cryin for revenge for years!†

MAITLAND: Ach havers!

LENNOX: I tell ye it's murder, though hou ye'll be the better for't I dinna ken!

ATHOLL: He'll hae bargaint for a gey guid lump o the Earl's grun!

MAITLAND: Hou daur ye say it! Ye young blaggard, I hae a damnt guid mind to rin ye through!

OCHILTREE: Ye're in the praisence o the Queen!

THE KING: Ay, Jock, haud doun a wee.

MAITLAND: Hae I to staun here and listen to snash* like that! By God, the government o this country's a gey thankless job! (*To the Lords*) Certies, but ye're a bonnie lot! We fin oot that a man's a fause-hairtit traitor, thick as a thief wi ane that has time and again tried to tak the life o the King, but daur we bring him to his trial? Na na, his freinds at Coort wad stop us! My Lords, ye're guilty o rank black disloyalty!

THE KING: Weill said, Jock! Ye're traitors, ilka ane o ye! Ye wad hae yer King gang ilka day in terror o his life! What kind o country's this, that Bothwell's alloued to leive? Has he no made sic a wrack o the Palace that I canna bide in it? Has he no haen aa the witches in Lothian raisin storms on the watter whan I was crossin ower wi Annie there frae Denmark? Has he no haen dizzens o them stickin preens* in my cley corp,* and brewin pousins* for me oot o puddock's bluid? And ye mak a steer, certies, because we hae sent oot a warrant against ane o his closest freinds!

LENNOX: By God, yer Grace, if it's Bothwell ye're feart o ye'll hae to gang in terror nou! Ilka man in Toun or Kirk'll rin to his side at ance, if Huntly kills the Bonnie Earl the nicht!

I tell ye ye winna move a fute frae yer door withoot bein spat on by the rabble! The wrath o the Almichty God'll be cried doun on yer heid by ilka preacher i' the country! They'll thump their Bibles to some tune nou!

THE KING: Let them thump! They canna rant mair against me nor they dae at praisent! I daurna put my fute inside a kirk but they're at my throat for bein freindly wi the Papist Lords! But dae they eir cry curses doun on Bothwell? Na na! He's oot for the life o the King! He's a favourite! But I'll waste nae mair braith. Gin Toun or Kirk winna help me against Bothwell the Papist Lords will! Jock, hou mony are there i' the Toun the nou?

MAITLAND: Errol's here, wi Hume and Angus.

THE KING: Hae they ony men?

MAITLAND: Scores.

THE KING: Then tell them to staun bye the Toun Gaird gin ony try to force the ports! Lennox, Ochiltree and Atholl, ye'll gang til yer ludgings and bide there till ye hae leave to move!

OCHILTREE: Yer Grace, ye'll regret this!

THE KING: Is that a threat?

OCHILTREE: It's nae threat to yersell, but if Huntly kills the Bonnie Earl I winna rest till I hae split his croun!

THE KING: The Deil tak ye, man, is there nae Coort o Session? Gin there are ony wrangs they can be richtit there! Awa wi ye, and steer a fute frae yer ludgin gin ye daur! Jock, ye'll see that my orders are cairrit oot!

MAITLAND: I will that!

THE KING: Awa then.

(MAITLAND *goes to the door, then turns, waiting.*)

THE KING: Weill, my Lords?

(*The Lords stand for a moment, glaring in anger, then* OCHILTREE *turns and bows to the* QUEEN. LENNOX *and* ATHOLL *follow his example.* MAITLAND *seeing that the Lords are leaving without trouble, hurries downstairs. The Lords go to the door.* OCHILTREE *and* ATHOLL *follow* MAITLAND.

LENNOX *turns to the* KING.)

LENNOX: Yer Grace, ye tak evil coonsel whan ye listen to the Chancellor!

THE KING: I wad tak waur gin I listened to yersell!

LENNOX: Ye'll see yet!

(*He leaves.*)

THE QUEEN: It is dune. Frae this nicht dinna speak. Dinna touch. Dinna come near. I hae supper in my ain room.

THE KING: Awa for God's sake and tak it, then!

(*She stands staring at him. Tears gather in her eyes. She turns suddenly and hurries out.*)

THE KING: Spynie!

(SPYNIE *enters.*)

THE KING: Is Logie there?

SPYNIE: Ay.

THE KING: Has he haen onything to eat?

SPYNIE: He's juist dune, I think.

THE KING: Let him haud the door, then. We'll gang ben and hae a bite wi Nicoll and the Mistress, then I'l hae a quait nicht at my book. The Queen's awa up the stair wi a sair heid.

(RAB *pokes his head in at the door.*)

RAB: Yer Grace?

THE KING: Ay, Rab, what is it?

RAB: There were nane o yer gentlemen aboot the door. It's Sir Robert Bowes the English ambassador.

THE KING: What! Guid God, hae I to get naething to eat the nicht at aa! Send him in, Spynie. (SPYNIE *leaves.* RAB *is about to follow*) Rab? (RAB *turns*) Is the Wynd quait?

RAB: Ay, yer Grace.

THE KING: Are there gairds at aa the doors?

RAB: Ay.

THE KING: Awa, then.

(RAB *leaves.* SPYNIE *enters with* SIR ROBERT BOWES.)

SPYNIE: (*Bowing elaborately*) Sir Robert Bowes.

(*He leaves.*)

THE KING: Weill, Sir Robert, this is a queer time o the day for a veesit, but ye're weill come for aa that.

(*He holds out his hand.* SIR ROBERT *kisses it.*)

SIR ROBERT: Most Gracious Sovereign, if I call early you are gone to the chase, and if late you have retired to your literary labours.†

THE KING: Sir Robert, that soonds like a rebuke. I hope ye dinna mean to imply that naither the sport o the chase nor the airt o letters is a proper employment for a sovereign?

SIR ROBERT: I would suggest, your Majesty, that they must be held subordinate to the arts of war and government, compared with which they are but recreations.

THE KING: Na na, Sir Robert, I dinna haud wi ye there! Hae ye neir thocht, Sir Robert, that it's the weill govert country that kens the maist peace, and the ill the maist bluidshed?†

SIR ROBERT: That, your Majesty, can hardly be denied.

THE KING: Then daes it no follow, Sir Robert, that the airt o government precedes the airt o war, for gin the tane is weill practised the tither isna needit?

SIR ROBERT: Undoubtedly.

THE KING: But the practice o guid government, Sir Robert, entails great wisdom?

SIR ROBERT: Most certainly.

THE KING: And whaur can we fin wisdom, Sir Robert, if no in books, that cairry aa the wisdom o the ages? And arena books, Sir Robert, the ootcome o the airt o letters?

SIR ROBERT: They are, your Majesty, indisputably.

THE KING: Then I hae ye nou, Sir Robert, for the airt o letters maun precede the twa ithers, and is therefore a proper employment for a sovereign. But the airt o letters daesna exercise the body, and for that there can be nae better practice, Sir

Robert, nor the sport o the chase. The chase demands strength and courage, like the airt o war, and it keeps ane in grant fettle in case war suld arise, but it kills naebody and costs less. Nou there ye are, Sir Robert. I hope ye're convinced.

SIR ROBERT: I am, your Majesty, completely.

THE KING: I'm gled to hear it, and if ye want to improve in debate, Sir Robert, ye suld hae a warstle wi the Logic. Tak a guid look at the Socratic method.† Socrates spent his haill life haein arguments, and he wasna bate ance.

SIR ROBERT: I have no doubt, your Majesty, that you will follow most worthily in his distinguished footsteps. But I hope you will meet a less untimely end.

THE KING: Deed ay, Sir Robert, I hope sae, for there's nae king but has his faes. I suppose ye hae some maitter to discuss?

SIR ROBERT: Indeed your Majesty, I have. It hath come to the knowledge of the Queen my mistress that certain of your Lords do harbour Jesuit priests, whose practice is to woo your subjects from the true religion with gifts of Spanish gold.

THE KING: Dear me, Sir Robert. Hou did this come oot?

SIR ROBERT: A certain fellow, your Majesty, a Papist, suspected of traffic with the Cardinal of Spain, was taken prisoner at the Port of London.† In his possession were certain papers, your Majesty, which he did attempt to swallow on his way to jail.

THE KING: Guid God, Sir Robert, he's been a gey glutton. And hou did he fare?

SIR ROBERT: His meal, your Majesty, was interrupted, and when the rescued papers were assembled they were traced to the hand of one James Gordon, a Jesuit, who resides in secret at the castle of the Lord Huntly.†

THE KING: Weill, Sir Robert, it's a serious maitter. Hae ye brocht the bits o paper wi ye?

SIR ROBERT: Alas, your Majesty, no. They have been retained in London.

THE KING: What! Ye shairly dinne ettle us, Sir Robert, to believe ony chairge against the Lord Huntly till we hae seen the prufe!

SIR ROBERT: Such proof as there was, your Majesty, was sufficient to convince the Queen my mistress. Surely you do not doubt her shrewdness in these matters?

THE KING: Sir Robert, we dinna dout her shrewdness in ony maitter, but she'll shairly see hersell that we can tak nae action against the Lord Huntly on the strength o a second-haund story!

SIR ROBERT: Your Majesty, I think she doth expect you to accept her royal word. It is her wish that you banish the Lord Huntly from your presence, and adopt a more rigorous attitude towards the whole of your Papist subjects.

THE KING: I see. Sir Robert, I'll be plain wi ye. We welcome aye oor dear sister's royal advice for the better government o oor puir afflictit country, but she'll paurdon us, shairly, if we whiles think we ken hou the wind blaws here a wee thing better nor hersell. She's at us aye to herry and harass the Papists, but she daesna ken, mebbe, that we hae great need o them at times, and at nane mair nor the praisent. The great affliction o Scotland the nou isna idolatory! It's the Earl o Bothwell! And we maun bide as close wi the Papist Lords as if they were oor very Brithers, till the traitor's heid's on the spike o the Palace yett! Nou listen, Sir Robert. Gin oor dear sister were to mak us anither praisent o some siller, sae that we could fit oot a weill furnisht body o men to bring the blaggard to the gallows, something micht be done aboot the ither maitter then!

SIR ROBERT: Your Majesty, the question of money was raised in my dispatch.

THE KING: (Eagerly) Eh?

SIR ROBERT: The Queen my mistress hath instructed me to say, your Majesty, that until her wishes concerning the Papists are regarded, she can make no further grant to your exchequer.

THE KING: The Deil tak her for an auld miser!

SIR ROBERT: Your Majesty!

THE KING: Hoots man, dinna bridle up at me! By God she isna blate! She wad gar me leave mysell helpless against a man that's been oot for my bluid for the last year or mair, juist because twa or three Papists here hae written letters to their freinds abroad! And aa this, certies, withoot the promise o a bawbee! By God, Sir Robert, I woner at yer effrontery in comin up the nicht!

SIR ROBERT: Your Majesty, if you have ought to answer when you have considered the matter further, you will be pleased to send for me! Till then, I pray, you will allow me bid farewell!

(He bows.)

THE KING: Sir Robert, the suner ye're doun the stair the better. Ye hae held me frae my meat for naething! Spynie!

(LOGIE enters.)

LOGIE: *(Bowing)* My Lord Spynie's haein his supper, yer Grace.

THE KING: Ay weill, Logie, show Sir Robert doun the stair. I'm gaun for mine.

(He goes into the dining-room. The two who remain suddenly assume the manner of conspirators. SIR ROBERT beckons LOGIE aside from the door. He takes a letter from his tunic.)

SIR ROBERT: This letter is for the Lord Bothwell. Will you see it safely delivered?

LOGIE: *(Looking furtively at each door in turn)* Shairly, Sir Robert.

SIR ROBERT: *(Handing over the letter)* The Queen my mistress will reward you well.

(He leaves quietly. LOGIE hurriedly places the letter in an inner pocket and follows him.)

CURTAIN

46

ACT II

"The Kingis chalmer in the palace of Halyroudhous" Edinburgh,
XXIV July, 1593   Morning†

The KING's *bed-chamber in Holyrood House. In the left wall,*
downstage, a small door leading to a dressing-closet. Upstage from
this a large window in a deep recess. In the middle of the back
wall a wide fire-place. Right of this a large door leading to the
KING's *audience-chamber. In the right wall, downstage, a small*
door leading to the QUEEN's *bed-chamber.*

Against the back wall, left of the fire-place, a large four-poster
bed with elaborate hangings. Left of the bed a carved kist, and
right an armchair. By the right wall, upstage from the door of
the QUEEN's *chamber, a table with a chair behind it.*

A narrow shaft of sunlight slants across from a slight opening in
the drawn curtains of the window. There is no fire in the grate.
The hangings of the bed are drawn close.

The QUEEN *enters stealthily from her chamber, tiptoes to the bed,*
listens, and peeps through the hangings. She tiptoes to the door
of the audience-chamber. She opens it quietly. She admits LADY
ATHOLL *with the* EARL OF BOTHWELL *and* JOHN COLVILLE. *The*
men carry drawn swords. The QUEEN *and* LADY ATHOLL *retire*
silently to the QUEEN's *chamber.* BOTHWELL *and* COLVILLE *stand*
expectantly beyond the fire-place from the bed.

The clock in the steeple of the Canongait Tolbooth strikes nine.

The KING *parts the curtains at the far side of the bed and emerges*
in his nightshirt. He sits on the edge of the bed and rubs his eyes.
He rises, parts the window-curtains, and looks out.

THE KING: (*Yelling*) Spynie!

47

(Starting to loosen his nightshirt he goes into his closet. COLVILLE *makes to move.* BOTHWELL *restrains him.)*

BOTHWELL: He canna win oot that wey. It's his dressin-closet.

(A shot is fired somewhere within the Palace. A brawl is started. More shots follow, accompanied by shouts and the noise of clashing weapons.)

(The KING *rushes in from his dressing-closet, naked, but carrying his shirt. As he comes round the foot of the bed he sees* BOTHWELL. *He halts, hastily wrapping his shirt round his loins.)*

THE KING: Bothwell!

(He runs to the QUEEN's *door. It is locked.)*

THE KING: *(Pulling at the handle)* Annie! Annie! Open the door! Let me in! Annie!

(He receives no reply. He turns at bay. BOTHWELL *steps to the foot of the bed, facing him with his sword held threateningly.)*

THE KING: *(Yelling at the pitch of his voice)* Treason! Treason!

BOTHWELL: Ay ay, my bonnie bairn. *(Moving round and forcing the* KING *back into the chair beside the bed)* Ye hae gien oot that I ettle to tak yer life. It's in this haund nou!

THE KING: *(Crouching back in the chair fearfully, almost in tears)* Ye traitor, ye hae shamed me. Strike and be dune wi't! I dinna want to leive another day.

*(*LENNOX, OCHILTREE *and* ATHOLL *appear at the door of the audience-chamber.* BOTHWELL *and* COLVILLE *suddenly drop their threatening manner and start to act a pre-arranged part. The* KING's *bearing changes. A note of hopeful excitement creeps into his voice.)*

THE KING: Come on Francie, feenish what ye hae stertit! Tak yer King's life. He's ready to dee!

BOTHWELL: *(Dropping elaborately on his knees)* Maist Gracious Sovereign.

COLVILLE: *(Likewise)* Maist Clement Prince.

THE KING: *(Almost jubilant)* Na na, ye hypocrites, ye needna kneel! Ye were for rinnin me through!

BOTHWELL: We submit oorsells maist humbly to yer royal mercy.

THE KING: Ye leears, ye're cheyngin yer tune because the Lords are here! What are ye daein in my chalmer at aa? Hou did ye win past the gairds? Arena yer swords drawn nakit in yer haunds?

BOTHWELL: *(Holding his sword by the blade and kissing the hilt)* Yer Grace, my sword is at yer service. *(Presenting it)* Tak it, and strike my heid frae my shouthers gin eir I hae wished ye ill.

THE KING: *(Shrinking back from the sword)* Did eir ye hear sic rank hypocrasy! My Lords, ye hae him reid-haundit for high treason! Hack him doun! *(None makes any move to obey)* Come on Lodovick! He cam in here wi bluidy murder in his hairt! Hae I to ask ye twice to redd me o him?

LENNOX: He hasna ettled ony ill, yer Grace.

THE KING: What! Nae ill! Atholl! Ochiltree! *(Neither responds to his appeal. A note of fear creeps into his voice)* Sae ye're aa against me.

OCHILTREE: Yer Grace, ye need fear nae ill to yer person.

THE KING: Dae ye think I dinna ken what that means? Hae I no heard it afore! Ye're for locking me up, are ye, like the auld Lords at Ruthven!† Ye think to haud me in yer pouer and rin the country for yer ain ends! I tell ye thae days are bye! I'm a bairn nae langer! I'm twenty-seiven year auld, and I hae mair sense nou nor submit to ye! Gin I dinna sign yer enactments what can ye dae? Threaten to kill me? Ye ken ye daurna! The haill country wad turn against ye!

BOTHWELL: Yer Grace, ye hae sair mistaen us.

THE KING: Rise up aff yer knees, man, and end this mockery! Ye hae come to gar me gie ye back yer grun! But ye may threaten till ye're blue i' the face! I winna heed ye!

BOTHWELL: *(Having risen at the King's order)* Ye'll hae to! Ye haena a freind!

THE KING: Dae ye think the Toun'll let ye tak me? *(Bells in the Town and Canongait can be heard ringing in alarm)* Hearken to the bells! In ten meenits ye'll be pouerless!

BOTHWELL: The bells can ding till they crack for aa the help the Toun'll gie ye! The Kirk and the Guilds are for me! And ye haena a freind i' the Palace that isna weill tied wi towe.

THE KING: I hae freinds elsewhaur wha winna fail me!

BOTHWELL: If it's Huntly ye mean his haunds are fou! Atholl's seen to that!

THE KING: Atholl, I micht hae kent it! Yer wife's turnt yer heid!† She's been up to naething but mischief sin the day I sent her faither to the gallows!†

ATHOLL: She has nae haund in this maitter!

THE KING: Then what are ye efter? Ye're for the Kirk, nae dout. Ye want Huntly and the ither Papists put to the horn!

ATHOLL: What wey no! They're traitors! They hae plottit wi Spain!

THE KING: They hae grun that lies gey near yer ain!

ATHOLL: They hae grun that suldna belang to them!

THE KING: Juist that! It suld belang to yersell!

ATHOLL: It micht, gin it hadna been for Maitland! What richt has he to dae the sharin?

THE KING: He's Chancellor and daes the will o the Cooncil!

ATHOLL: Then Chancellor and Cooncil maun be cheynged!

THE KING: Hou daur ye say it!

LENNOX: Yer Grace, we want to save ye frae yer supposed freinds!

THE KING: Supposed freinds! Ay, Lodovick, I hae some supposed freinds, some that I cherish like brithers and lavish wi ilka favour at a King's command. And what dae they dae? Hing aboot the tail o Annie's skirt, and try their best to turn her heid!

LENNOX: It's a lee!

THE KING: A lee! Can I no believe my ain een? I catch ye wi yer heids thegither ilka time I turn a corner!

LENNOX: (*Gripping his hilt*) Gin ye werena King I wad rin ye through!

OCHILTREE: My Lord, we arena here to threaten his Grace's life!

THE KING: What are ye here at aa for?

OCHILTREE: It's weill ye ken! We had a freind slauchtert in cauld bluid! Justice hasna been dune against his murderers!†

THE KING: Justice has been dune! Twa o Huntly's men were beheidit!

OCHILTREE: And Huntly himsell? It was he wha dang the Bonnie Earl doun!

THE KING: He was put in jeyl for it!

OCHILTREE: For seiven days! Then he was alloued oot!

THE KING: He was let oot on a caution!

ATHOLL: And he didna pey it!

THE KING: Ye canna blame me for that!

OCHILTREE: He suld hae been keepit in! He suld hae been sent to the gallows at ance!

THE KING: That was a maitter for the Lords o the Session!

OCHILTREE: Juist that! It was a maitter for Maitland and the rest o his freinds, and they made shair he cam to nae hairm! I tell ye Maitland suld feel the towe on his thrapple tae! It was he wha sent oot Huntly to bring the Earl in!

THE KING: He did it wi my authority!

OCHILTREE: Efter fillin yer heid wi lees! And he did it kennin weill what the upshot wad be!

LENNOX: He wasna the only ane wha kent what the upshot wad be!

THE KING: Eh!

LENNOX: Ye had yer ain reasons for winkin at the murder!

THE KING: By God, Lodovick, gin I werena pouerless ye wad swallow that! The Bonnie Earl was my best freind till he jeynt wi Bothwell there!

LENNOX: Ye turnt against him afore that! And it was Maitland's faut again! He telt the same lees aboot the Bonnie Earl as he daes aboot me!

THE KING: They werena lees!

OCHILTREE: I tell ye they were, and he'll pey for them dearly!

THE KING: He's peyed eneuch! He was banisht frae the Coort!

OCHILTREE: He's on his wey back nou! Ye sent for him twa days syne!

THE KING: Whaur was I to turn? There wasna ane o ye I could depend on! Even Logie was plottin ahint my back, and he hadna been in jeyl for't for twa days whan ye alloued him to brek oot!

LENNOX: It was ane o her Grace's leddies that let him oot!†

THE KING: Wha put her up to't? Ye were aa in the plot!

LENNOX: We were aa against Maitland!

THE KING: My only freind!

LENNOX: Yer warst fae!

THE KING: He hasna betrayed me to traitors! Ye're a queer lot to miscaa Jock! But I winna gie in to ye! I'll set my haund to naething! And gin Bothwell wants his grun back he'll hae to staun his trial for witchcraft!

BOTHWELL: That's juist what I'm here to dae!

THE KING: What!

BOTHWELL: I'm willin to staun my trial as sune as ye like.

THE KING: Then by God I hae ye nou! I hae eneuch evidence to hae ye brunt twice ower!

BOTHWELL: The evidence o tortured auld weemen!

THE KING: The evidence o vicious auld beldams wi the mark o the Deil's cloven fute on their skins!

BOTHWELL: Brunt on wi a reid-hot airn!*

THE KING: Stampit on by the Deil himsell! And there's Ritchie Graham the wizard!† I hae clear prufe that ye warkit a spell wi him to pousin me! He confessed the haill ploy!

BOTHWELL: Efter haein his legs torn gey near aff him!

THE KING: What wey no? The Deil gies strength to his ain! It's aye the warst that hae to be maist rackit to confess!

BOTHWELL: We'll see what the new Lords o the Session think o that!

THE KING: The what!

BOTHWELL: We're gaun to cheynge Coort, Cooncil, Session and aa!

THE KING: I tell ye ye shanna! I'll let ye dae yer warst!

BOTHWELL: (*Threatening with his sword*) Then by God we'll dae it!

THE KING: (*Shrinking back*) Ye blaggard! Tak yer sword awa! Ye daurna kill an anointit King!

BOTHWELL: It's been dune afore this! Think o yer faither!†

THE KING: A gey wheen gaed to the gallows for that!

BOTHWELL: Then think o yer mither! Nane hae suffert for that yet!

THE KING: Hae ye forgotten the steer it rase?

BOTHWELL: Weill I micht, whan her ain son let it pass!

THE KING: What dae ye mean by that, ye leear?

BOTHWELL: Ye could hae saved her gin ye'd tried! The English wadna hae daured beheid her gin they'd thocht ye'd tak a firmer staun!†

THE KING: I did aa I could!

BOTHWELL: Ye did naething but bluster wi yer tongue in yer cheek! Ye were feart to offend them in case ye lost yer claim to the succession! Ye're that greedy for the English Croun ye wad sell yer sowl to the Deil for it! (*A murmur outside indicates that the people of the Town and Canongait are gathering below the window*) Colville, see what's gaun on ootbye.

THE KING: The folk o the Toun are here to save me! Let me on wi my sark. (*Concealed from the others, and the audience, by the bed, he hurriedly pulls on his shirt*) I'm gaun to the winnock.*

BOTHWELL: Ye're no gaun to the winnock till we hae everything settled.

THE KING: They're here to save me! (*Moving from the bedside*) I'm gaun to the winnock!

BOTHWELL: (*Sword in hand*) Mak ae move and I'll cut ye into collops!

COLVILLE: I see Hume the Provost and auld Sir Jamie Melville!†

BOTHWELL: Keep back, then!

LENNOX: Wha else are there?

COLVILLE: Juist the rabble o the Toun.

THE KING: The Toun Gaird'll sune be doun!

BOTHWELL: The Toun Gaird's thrang elsewhaur! We hae seen to that! Ye'll hae to come to tairms to save yer face!

THE KING: Whaur are the Bailies?

BOTHWELL: The Bailies are roun at the yett wi the Preachers! They're waitin to be askit in to tak pairt in the agreement!

THE KING: Oh ye deil, to bring the Preachers in! They'll tell the haill story in aa their kirks! Ye'll shame me afore the haill country! Kill me! Kill me! I tell ye! I winna face them!

OCHILTREE: Yer Grace, they needna ken ye were threatent!

THE KING: They ken Bothwell's here! They kent he was comin!

LENNOX: They think he cam to seek his paurdon!

THE KING: I winna hae them in, I tell ye!

BOTHWELL: Ye'll hae to!

(*The noise below the window increases. There is a little shouting and scuffling within the Palace.*)

THE KING: There's help comin!

BOTHWELL: I tell ye ye hae nae chance!

THE KING: Whaur's Spynie?

BOTHWELL: Spynie's on gaird at the yett, for us!

THE KING: Anither traitor!

BOTHWELL: I tell ye ye haena a freind!

(*The noise below the window increases further.*)

COLVILLE: Ye'd better hurry! The croud's growin bigger!

OCHILTREE: I dout he'd better gang to the winnock.

BOTHWELL: (*Closing on the King threateningly*) Listen, then. Ye'll hae to grant Colville and mysell remission and gie us back oor grun!

LENNOX: (*Likewise having drawn*) And Maitland maun be keepit frae the Coort!

ATHOLL: (*Likewise*) And Huntly maun be put to the horn!

THE KING: (*Shouting through his terror*) It's for me to say what's gaun to happen!

BOTHWELL: Ye'll say what's gaun to happen! But ye'll say what we tell ye!

OCHILTREE: Come on, yer Grace, put a face on it.

LENNOX: Ay, come on!

ATHOLL: Time's rinnin short!

COLVILLE: We'll hae to dae something sune! They're aa cryin up!

BOTHWELL: (*Sheathing his sword and gripping the* KING *by the shoulders*) Gin ye dinna gie in I'll cairry ye ower to the winnock juist as ye are!

THE KING: (*Almost in tears*) Aa richt. I'll gie in the nou. But by God wait!

BOTHWELL: (*To* ATHOLL) Whaur are his breeks?

THE KING: They're in the closet.

BOTHWELL: Fetch his breeks, Lennox.

LENNOX: (*Indignantly*) My Lord, ye forget yersell!

OCHILTREE: I'll fetch them.

(*He goes into the dressing-closet.*)

COLVILLE: They're cryin for the Queen tae!

OCHILTREE: (*Coming in from the closet*) This is the only pair I can fin.

BOTHWELL: They'll dae. Help him into them.

COLVILLE: (*To* BOTHWELL) They want the Queen, my Lord!

LENNOX: I'll fetch her.

THE KING: See that! He wadna fetch my breeks, but he'll gang for Annie!

LENNOX: I wasna ordert to gang for Annie!

(*As he leaves there is a sudden knock at the door of the audience-chamber.*)

BOTHWELL: See wha that is, Atholl.

(ATHOLL *opens the door of the audience-chamber.* SPYNIE *enters.*)

THE KING: (*To* SPYNIE) Ye fause-hairtit traitor!

BOTHWELL: Haud yer tongue and put yer claes on!

THE KING: He'll hing for this yet! I want my doublet.

BOTHWELL: Colville, fin the rest o his claes. (COLVILLE *goes into the closet. To* SPYNIE) My Lord, hae ye everything in order?

SPYNIE: Ay. Mar and Glamis pat up a bit fecht, but they're awa oot the Lang Gait nou wi their tails atween their legs.

BOTHWELL: Wha else is against us?

SPYNIE: Melville and the Provost are ablow* the winnock wi the Toun rabble, but they haena mony o their ain men.

BOTHWELL: Will the rabble gie ye ony bother?

SPYNIE: Na, they juist want to ken if the Queen's safe.

THE KING: They want to ken if *I'm* safe!

BOTHWELL: (*As* COLVILLE *comes in from the closet with a doublet and belt*) Gin ye dinna bide quait ye'll be strippit again! Keep him thrang,* Colville. (*To* SPYNIE) Are the Bailies and the Preachers ready?

SPYNIE: They're eatin their heids aff at the yett.

BOTHWELL: Richt, we'll hae them brocht in. Atholl, put them in the ither chalmer and haud them there till we're ready. (ATHOLL *leaves*) Ochiltree, gae oot and treat wi Melville and the Provost. Try to keep them quait. The less steer we hae the better. (OCHILTREE *bows to the* KING *and follows* ATHOLL) Back to the yett,* then, Spynie. Wha's haudin the coortyaird?

SPYNIE: Morton. He has it weill in haund.

BOTHWELL: Richt, then.

(SPYNIE *leaves.* LENNOX *enters with the* QUEEN.)

THE KING: (*To the* QUEEN) Oh here ye are! What wey was yer door lockit?

THE QUEEN: It is my ain door. I lock it if I like.

THE KING: Ye maun hae kent they were comin!

THE QUEEN: What if I dae! I telt ye I dinna want Maitland, and ye for bring him back!

THE KING: Ye sleekit jaud! Ye fause-faced jezebel!

(*There is a sudden crash of broken glass from the window.*)

LENNOX: They're throwin stanes at the winnock!

BOTHWELL: We'll hae to hurry! Yer Grace, gae ower and cry doun that ye're safe, but say ae word o bein threatent and I'll hack ye doun!

(*There is another crash, and a stone lands on the floor.*)

THE KING: Guid God, look at that! Dae ye want to hae me staned?

BOTHWELL: They'll stop whan they see ye.

THE KING: Lennox, gae ye first!

BOTHWELL: It's ye they want, no Lennox!

THE KING: I tell ye I'll be staned.

BOTHWELL: (*Drawing*) Ower to the winnock!

(*The* KING *jumps hastily into the window recess. The murmur below gives way to a profound silence.*)

PROVOST: (*From below the window*) Are ye aa richt, yer Grace?

THE KING: (*Shouting loudly*) I dinna ken yet, Provost.

PROVOST: Dae ye need help? Say the word and I'll ding the doors doun and redd ye o ilka traitor near ye!

THE KING: Hou mony men hae ye?

PROVOST: Abooth three score.

BOTHWELL: Tell him I hae fower hunder!

THE KING: (*To the* PROVOST) Dinna stert ony steer the nou, then. We're in nae danger.

MELVILLE: Whaur's the Queen?

THE KING: She's safe ahint me, Sir Jamie.

MELVILLE: Gar her come forrit. We want to see her.

(*The murmur rises again.*)

THE KING: (*To* BOTHWELL) They want to see Annie.

BOTHWELL: (*To the* QUEEN) Yer Grace, staun forrit aside him. Gie them a wave and a smile.

(*The* QUEEN *goes to the window. There is a great outburst of cheering.*)

LENNOX: That shows whause side they're on.

(As the cheering dies a little MELVILLE's *voice is heard again.)*

MELVILLE : Can we come in?

BOTHWELL : What daes he say?

THE KING : He wants to come in.

BOTHWELL : Tell him to meet Ochiltree at the yett. He can bring the Provost in tae.

THE KING : Gae roun to the yett wi the Provost and meet my Lord Ochiltree. He'll bring ye in.

BOTHWELL : And tell the rabble to gang awa hame.

THE KING : I winna!

BOTHWELL : They can dae ye nae guid! Send them awa hame oot o the wey! If they fecht they'll juist be slauchtert!

THE KING : *(Shouting to the rabble)* The rest o ye maun gang awa peacably and quaitly ilka ane til his ain hame.† Ye can dae naething but mischief bandit thegither wi weapons in yer haunds. Yer King and Queen are in nae danger. Bothwell's here, but he cam in aa humility to seek his paurdon. He's gaun to staun his trial for witchcraft.

(A murmur of dissent arises. There are shouts of "Hang the Papists!")

MELVILLE : They dinna want to gang yet. They want to bide and hear what's what.

THE KING : *(To* BOTHWELL*)* They want to bide.

BOTHWELL : Tell them to gang roun to the Abbey Kirkyard and bide there till we hae come to tairms.

THE KING : Ye can dae nae guid making a steer ablow the winnock. We hae grave maitters o state to discuss. Gin ye're ower anxious for oor safety to leave us yet gae awa roun to the Abbey Kirkyaird and bide there for hauf an hour. By that time we'll mebbe hae a proclamation to mak, for we're haein in the Bailies and the Preachers. *(There is a great burst of cheering at the mention of the Bailies and the Preachers. The* KING *shouts through it)* See that they dae as they're telt,

Provost, and then mak haste to come in.

(*The* KING *and* QUEEN *come from the window. The noise of the rabble gradually dies away.*)

THE KING: (*To* BOTHWELL) The haill Toun seems to ken what ye're here for! It's weill seen ye hae the Preachers in yer plot!

BOTHWELL: I tell ye I hae aa ahint me bune the Papists!

THE KING: Ye micht hae keepit the Toun frae kennin! They'll be haudin me up to ridicule in their silly sangs! Ye'll destroy the authority o the Croun!

(ATHOLL *enters from the audience-chamber.*)

ATHOLL: (*To* BOTHWELL) I hae the Bailies and the Preachers here.

BOTHWELL: Richt. (*To the* KING) Sit doun ower there and stop haverin. (*He indicates the chair beside the table*) Look as dignified as ye can. Hou mony are there, Atholl?

ATHOLL: A dizzen athegither, but they hae chosen three spokesmen.

BOTHWELL: Hou mony Preachers?

ATHOLL: Ane, juist. Maister Bruce, I think.†

THE KING: Guid God, we'll suffer for oor sins nou!

BOTHWELL: Haud yer tongue, will ye! Bring them in, Atholl. (ATHOLL *leaves. To* LENNOX) My Lord, dinna staun sae near her Grace or Maister Bruce'll be scandalised. Will ye sit doun, yer Grace? Attend her, Colville.

(*As* COLVILLE *escorts the* QUEEN *to the chair beside the bed* ATHOLL *admits the* BAILIES EDWARD *and* MORISON *and the Preacher* ROBERT BRUCE. *All bow to the* QUEEN *as they enter.* BOTHWELL, LENNOX *and* COLVILLE *step into the background.*)

THE KING: (*Before they have finished bowing*) Here ye come. Hech, sirs, but ye're a bonnie lot. Ye mak a conspeeracy against the Croun, and get an ootlawed traitor to dae yer dirty wark.

BRUCE: (*Straightening up*) Oor cause is the Lord's!

THE KING: I tell ye it's the Deil's! Whan did the Lord stert to mak use o meddlers wi witchcraft?

BRUCE: It isna even for a King to speir at weys abune his comprehension!

THE KING: Damn ye, man, what isna abune yer ain comprehension is weill within mine!

BRUCE: Curb yer profane tongue and dinna provoke the wrath o the Almichty God! It wad fit ye better to gang doun on yer knees and gie Him thanks for yer delivery, for it maun hae been charity faur abune man's that shieldit ye frae hairm this day!

THE KING: It was my royal bluid that shieldit me frae hairm!

BRUCE: And wha gied ye that?

THE KING: Wha eir it was, he guid nane to yersell!

BRUCE: He ordaint me a Preacher in His haly Kirk!

THE KING: Havers! Ye were ordaint by the Moderator o yer Assembly!

BRUCE: He had the Lord's authority!

THE KING: He had the authority o the ranters wha electit him to office, a wheen delegates frae yer district presbyteries! And wha electit them? In the lang rin it was the congregations o yer kirks, folk frae the wynds and closses o the touns and the cot-hooses* o the landward pairishes! I tell ye yer Moderator daes the will o the rabble! He has nae mair claim to the Lord's authority nor the souter wha puts tackets in his shune!

BRUCE: He acts accordin to the Book!

THE KING: The Book maun be interpretit! What richt has he to claim infallabeelity?

BRUCE: He seeks the guidance o the Lord in prayer!

THE KING: Ony donnart fule can dae that! Afore a man can claim authority in speeritual maitters he maun hae ae thing that yer Moderator hasna! He maun hae the pouer by Divine Richt to enforce his decrees!† Nou whause poseetion cairries that wi't? No yer Moderator's, I tell ye, but yer King's!

BRUCE: A king's pouer is temporal!

THE KING: It's temporal and speeritual baith! A king's the faither o his subjects,† responsible for the weilfare o their minds and bodies in the same wey as ony ordinary faither's responsible for the weilfare o his bairns! He is, I tell ye, for his bluid rins awa back through a lang line o kings and patriarchs to its fountain-heid in the first faither o mankind! And the first faither o mankind was Adam, wha gat his authority straucht frae the Lord, wha made him in His ain image, efter His ain likeness!

BRUCE: Ye forget that Adam sinned and fell frae grace! There was nae salvation till the Saviour cam! And He investit his Authority in His twelve Disciples, whause speeritual descendants are the Preachers o the Kirk!

THE KING: What richt hae ye to say that? Ye're heids are aa that swalt wi conceit that I woner ye acknowledge ony God at aa!

BRUCE: We acknowledge God afore the King, and in his Kingdom we hae authority and ye haena!

THE KING: Ye can hae nae authority withoot the pouer to enforce it! God didna grant ye that!

BRUCE: He grantit it this very day, whan he lent the Kirk the help o His servant Bothwell!

THE KING: Guid God, sae it's God's wark to rise against the Croun! Shairly gin I'm King by God's grace, as ye acknowledged yersells at my coronation, it maun be His will that I suld hae allegiance!

BRUCE: Ye hae oor allegiance in temporal maitters, but whan ye use yer authority to hinder the wark o the Kirk we own nae allegiance bune* to God Himsell!

THE KING: And hou hae I hindert the wark o the Kirk? Damn it, it isna fower days sin the Three Estates gied ye aa ye could ask for!† Ye had an inquisition ordert against seminary priests,* and a statute passed against the Mass! And yer stipends were aa exemptit frae taxation! What mair dae ye want?

BRUCE: We want ye to acknowledge oor independence o the Temporal Pouer! We canna haud an Assembly withoot yer consent! And we want an act o attainder passed against the Papist Lords!†

THE KING: Oho! An act o attainder! What can be mair temporal nor that?

BRUCE: In this case it concerns the weilfare o the Kirk!

THE KING: Juist that! I hae ye confoundit oot o yer ain mooth! Ye're in the horns o a dilemma! Gin the Kirk suld be independent o the Temporal Pouer it daesna need acts o attainder! Gin it daes it canna be independent o the Temporal Pouer! Ye're flummoxed,* I tell ye!

BRUCE: Whan the Temporal Pouer interferes wi the weilfare o the Kirk it's for the Kirk to interfere wi it! Ye hae favoured the warst enemies o the Kirk and o Scotland baith, and gin ye winna cheynge yer coorse it maun be cheynged for ye! The Papist Lords hae plottit to betray us to the Spaniard and force us back into the daurkness o idolatry! They wad hae us bend oor knees to the graven image and gie oorsells to mummery and ritual! It canna and it shanna be! They maun be cleaned oot o the country rute and branch, wi fire, sword and the gallows!

BOTHWELL: Amen. We can caa that maitter settled, then, I think.

THE KING: It isna settled! It canna be settled here! It's a maitter for my Cooncil.

BOTHWELL: We had come to tairms, I think, afore oor reverent freind was brocht in. Gin I were ye I wadna stert the haill thing ower again.

THE KING: Yer reverent freind! (*Turning to the others*) Ye wad think butter wadna melt in his mooth, and afore ye cam in he was dictatin to me at the peynt o the sword!

NICOLL: Weill, yer Grace, I wad haud my tongue aboot it. It canna be helpit nou.

THE KING: Na! It canna be helpit nou! But it could hae been gin it hadna been for ye and ithers like ye! Ye suld think shame o yersell, man, turnin against me wi a lot o grun-greedy Lairds and bumptious fanatics o Preachers! What hairm hae I ere dune the like o ye?

NICOLL: Ye hae dune nae hairm yersell, but ye hae been sair misguidit by yer coonsellors! For yer ain sake they maun be cheynged!

THE KING: Ye turn gey presumptious nou ye hae me pouerless! Misguidit by my coonsellors, forsooth. It'll be a bitter day this if I hae to sit helpless and listen to advice on the government o my country frae a wheen Toun Bailies that keep twa-three hauf-sterved kye on the Burgh Mair and dae a bit tred ahint a coonter!

MORISON: Ye're gey weill indebtit to some o the same Toun Bailies!

THE KING: Sae it's the siller that's botherin ye! Hae I no promised that ye'll baith be peyed back aa I owe ye?

NICOLL: I haena gien the siller a thocht!

THE KING: (*Indicating* MORISON) Na, but he has, and he's been peyed back mair nor ony o ye! Glamis the Treasurer sent him some o the Croun plate no a fortnicht syne!†

MORISON: Twa cups and an ashet! They werena worth fower thoosand punds Scots! Ye owe me aboot eleeven thoosand!

THE KING: Ye'll be peyed, I tell ye, gin ye'll juist hae patience!

MORISON: I'll hae gey need o patience if Maitland and Glamis are to bide in office! They squander aa yer rents amang themsells and their freinds!

THE KING: It isna for the pat to caa the kettle black! Ye're aa oot for what ye can get!

NICOLL: Yer Grace, ye wrang *me* if ye think that! But ye ance acceptit my hospitality, and I'm grieved to think it suld hae been in my hoose that the murder o the Bonnie Earl was planned!

THE KING: There was nae murder planned!

NICOLL: There was by the Chancellor!

THE KING: Havers!

ATHOLL: It's the truith! He did it for a lump o grun in the Carse o Stirlin that he bargaint for wi Huntly!†

THE KING: Wha telt ye that? Ye're sic a glutton for grun yersell that ye canna see past it! The Chancellor gied oot a warrant on my instructions! He had nae thocht o the Earl's daith or the Carse o Stirlin aither!

ATHOLL: He's efter aa the grun he can lay his haunds on!

LENNOX: He tried to steal the very grun that was settled on her Grace whan she mairrit ye!

THE KING: Her Grace! What hae ye to dae wi her Grace's affairs? (*To* BRUCE) There's a target for ye, Maister Bruce, gin ye want to rant against ineequity at the Coort! Gie *him* a taste o yer fire and brimstane! Tell him to fin a wife o his ain!

LENNOX: Her Grace is praisent!

THE KING: It'll dae her guid!

THE QUEEN: (*Rising*) I am affrontit! (*To* LENNOX) Tak me awa!

(*There is a sudden knock at the door of the audience-chamber and* OCHILTREE *enters.* SIR JAMES MELVILLE *can be seen in the doorway behind him.*)

OCHILTREE: (*To the* KING) I hae Sir Jamie Melville here, yer Grace.

BOTHWELL: Whaur's Hume the Provost?

OCHILTREE: He was feart to come in whan he kent oor strength. He's for fleein the Toun.

BOTHWELL: That's him settled, then. We'll hae in Sir Jamie.

(OCHILTREE *motions in* SIR JAMES, *who immediately approaches the* QUEEN *as she stands hesitant before her chair.*)

MELVILLE: (*Bowing over the* QUEEN'*s hand and kissing it*) Yer Grace, I'm glad to see ye safe. Is his Grace aa richt? (*He turns and looks round. When he sees the* KING *he approaches him with elaborate courtliness*) Yer Grace, I thank God wi aa my hairt for yer delivery. (*He kisses the* KING'*s hand*) I had thocht ye were in peril o yer life.

(The QUEEN *quietly resumes her seat.)*

THE KING: Ye werena faur wrang, Sir Jamie. That blaggard wad hae killed me gin it hadna been for the steer ye made ablow the winnock.

OLHILTREE: That isna true! *(To* MELVILLE) He's been cairrit awa by the excitement. My Lord Bothwell cam in juist to seek his paurdon and offer to staun his trial.

THE KING: He cam in here to gar me cheynge my Officers o State!

BOTHWELL: And wi aa respect to Sir Jamie we're gaun to dae it!

THE KING: There ye are! Ye hear him! They hae aa been at it!

OCHILTREE: We thocht it time to save ye frae evil coonsel!

BRUCE: And to turn ye frae the Papists to the service o the Kirk!

THE KING: Listen to that! That's hou he thinks he suld address his King. He treats me like some trollop on his stule o repentance that's haen a bairn on the wrang side o the blanket!

BRUCE: Ye're guilty o a blacker sin nor that, for ye're on yer wey to beget Prelacy and Papery!

THE KING: *(Shouting wildly)* For God's sake dinna stert again! Save yer braith for the Saubbath!

MELVILLE: *(Shocked)* Yer Grace! I'm grieved to hear ye sae faur forget yersell as to tak the name o the Lord in vain!

THE KING: Guid God, sae ye hae come to preach at me tae!

MELVILLE: Gin ye mean I'm in the plot against ye, yer Grace, ye're faur wrang. Ye ken I hae been aye a loyal subject, firm against feids* and factions, and thrang for the establishment o order, but I'm an aulder man nor ye are, and hae served yer puir mither afore ye, and I wad be wantin in my duty as a coonsellor gin I didna reprove ye whan ye uttered a word that wasna seemly, or behaved in a wey that didna befit yer exaltit state. And this muckle I will say, though I hae nae haund in this mornin's wark, that the Lords here praisent hae mair in their favour nor the faction o the Papists.

THE KING: The auld sang, Sir Jamie. The auld sang. But cairry on. We hae the haill mornin.

(As his speech proceeds the Lords gradually sit, obviously wilting.)

MELVILLE: Gin we were to listen for a haill week, yer Grace, ye couldna hear ower muckle guid advice! And I think I may weill claim to be able to advise ye, for I hae served in mony a coort abroad as weill as at hame here,† and gien a lang life's study to the warks o the warld's great scholars. The foremaist o a prince's aims, yer Grace, suld be the advancement o the true releegion, for gin we neglect God we canna prosper. Therefore ye suld show a guid example, first in yer ain person, for it's on ye as his Sovereign that ilka man's ee is fixed, and second by yer choice o coonsellors and freinds, for gin the men ye maist favour are godly and richteous, there can be nae fear in the minds o yer subjects that their Prince is corrupt. And nou I maun tak a liberty that I hope ye winna resent, for ye're a scholar yersell, and ye'll ken what Theopompis answert whan he was askit hou a king micht best rule his realm.† He said, "By grantin liberty to ony man that luves to tell him the truith". Yer Grace, I'm gaun to tell ye the truith nou. Ye hae brocht aa yer troubles on yersell by yer ill choice o freinds. Ye hae spent yer days wi idolators, and offendit the maist o yer subjects. Nae king can afford to dae that, for as Plutarch said to the Emperor Trajan, "Gin yer government daesna answer the expectation o yer people, ye maun be subject to mony dangers".†

THE KING: Mebbe ye dinna mind, Sir Jamie, what the Senate o Rome said to Trajan?

MELVILLE: I can think o naething that's contrar to my drift.

THE KING: Weill, Sir Jamie, it's a peety, for it telt him to be "sparin o speeches". Haha, eh! Man ye can be gey dreich. *(There is another knock at the door of the audience-chamber. The Lords rise again)* Guid God, wha's there nou? The chalmer's that fou we'll sune no hae room to draw a braith. *(The EARL OF MORTON enters)* What's wrang, Morton?

(MORTON bows to the KING but addresses BOTHWELL.)

66

MORTON: My Lord, I couldna bide ootbye anither meenit. The Danish Ambassadors are growin oot o haund. They hae heard the steer and think her Grace is in peril.

BOTHWELL: Whaur are they?

MORTON: Lockit in their chalmers. They hae been jabberin awa in Danish for the last hauf hour. They're tryin to ding the doors doun nou.

THE QUEEN: (*Rising*) I will gang.

BOTHWELL: Ye micht, yer Grace. Sir Jamie, wad ye like to escort her? My Lord Lennox canna leave us yet.

MELVILLE: (*As* LENNOX *bridles up in anger*) I'm aye at her Grace's service.

(*He bows stiffly to the* KING, *offers his arm to the* QUEEN *and escorts her from the room. All bow as she leaves except the* KING.)

BOTHWELL: My Lord Morton, ye'd better bide. Nou that his Grace has heard Sir Jamie he'll be in a proper mind to settle his affairs.

THE KING: Ye're aa gaun to settle them for me, it seems, sae juist gae straucht aheid. I'm gaun for my breakfast.

BOTHWELL: (*Intercepting him*) Ye can hae yer breakfast whan we hae come to tairms! There are folk waitin ootbye to ken what's what!

THE KING: Aa richt, then. Oot wi yer proposals. But mind that onything ye settle here'll need the ratification o my Cooncil or the Three Estates.

BOTHWELL: Colville, hae ye that document?

COLVILLE: Ay, my Lord.

BOTHWELL: Read it oot, then.

LENNOX: What document's this?

BOTHWELL: It's a list o the tairms o the agreement we're gaun to mak wi his Grace.

LENNOX: It wasna shown to us!

BOTHWELL: Ye'll hae yer chance nou to discuss it. Richt, John.

COLVILLE: (*Reading from a parchment*) We that are here

assembled propose that his Grace suld set his haund to the articles herein subscribed: †

Ane: That remission be grantit to Bothwell, his freinds and pairt-takars,* for all attempts against his Grace's person in ony bygaen time, and promise made never to pursue him or his foresaids for ony bypast fact, as likewise to repossess them in their lands and hooses.

THE KING: What aboot the blaggard's trial for witchcraft? Has he to be gien back his grun if he's foun guilty?

BOTHWELL: That's a different maitter! This concerns oor attempts against yer person. It'll mak shair that whan I'm cleared o witchcraft there'll be nae trials for treason.

THE KING: Whan ye're cleared! Ye winna be cleared, I tell ye! Ye'll be brunt at the stake!

BOTHWELL: We'll see whan the time comes!

THE KING: It'll hae to come sune! Ye'll hae to staun yer trial afore I sign this!

BOTHWELL: I'm gaun to staun my trial at ance! Gin I'm foun guilty ye can teir this up.†

THE KING: Dae ye hear him, the rest o ye! He's gien his promise!

OCHILTREE: He gied his promise afore we brocht him in, yer Grace.

THE KING: (Obviously pleased) Oho, sae that's the wey o't. Weill weill. Gae on wi yer rigmarole, Colville, Wha wrote it for ye, for it's nae lawyer's job?

COLVILLE: I wrote it mysell!

THE KING: I thocht as muckle.

BOTHWELL: Come on, then.

COLVILLE: Twa: That the Three Estates suld be summoned to meet in November, and an act passed in his and their favours for their greater security.

THE KING: "His and their favours." What dae ye mean?

COLVILLE: Bothwell's and his foresaids.

THE KING: And wha are his foresaids?

COLVILLE: It means me.

THE KING: Juist that. (To the others, drily) It means himsell.

G'on, then.

COLVILLE: Three: That during that time—

THE KING: What time?

COLVILLE: (*Furiously*) The time atween nou and the paurliament in November!

THE KING: Ye suld hae said sae. Weill?

COLVILLE: That during that time his Grace suld banish from his praisence the Chancellor, the Maister of Glamis, the Lord Hume and Sir George Hume, and likewise ony that belang to their faction.

THE KING: Oho, ye deil, I see nou what ye're efter! Ye're gaun to staun yer trial at ance because ye'll hae the Coort o Session fou o yer ain men!

BOTHWELL: Better that nor fou o the Chancellor's men!

THE KING: Ye sleekit scoondrel! Gin they dinna fin ye guilty they'll mak a mockery o justice!

OCHILTREE: We'll see that the trial's a straucht ane, yer Grace!

THE KING: Ye'll be useless, I tell ye! Ye're in the blaggard's haunds!

BOTHWELL: We haena the haill day to waste! Gae on wi the readin, Colville!

THE KING: Ay ay, let's hear the rest.

COLVILLE: Fower: That frae henceforth the Earl of Bothwell, his freinds and pairt-takars, suld be esteemed as guid and lawfou subjects, and shown sic favour as if they had never offendit.

THE KING: Lawfou subjects! God, it's lauchable. And what else?

COLVILLE: That's aa there is.

LENNOX: What!

ATHOLL: Guid God!

OCHILTREE: What aboot the murder o the Bonnie Earl?

BRUCE: What aboot the Kirk and the Spanish plots?

THE KING: I telt ye he didnae care a rap for the rest o ye!

BOTHWELL: Gin ye'll juist listen, my lords and gentlemen.

THE KING: Ay ay, leave me oot! I dinna coont!

BOTHWELL: Oh haud yer tongue! Gin ye'll juist listen, ye'll see that aa the ither maitters follow frae the anes set doun in Colville's document. I haud the Palace. Ilka gaird in it nou's a proved servant o my ain. I haud the Toun tae. I hae it bristlin wi fower hunder men frae the Borders. But for the sake o savin his Grace's face and preservin the dignity o the Croun I maun hae my paurdon cried at the Cross. Agree to that, my Lords, and I'll help ye to keep the Chancellor's faction frae the Coort. Ye'll be able to dae what ye like then.

LENNOX: Ay ay, my Lord, but there's naething o that in yer document! Hou can we be shair that ye'll support us? Oor wants suld be doun in writin tae!

BOTHWELL: Shairly that's a maitter for yersells. There's naething to hinder ye frae drawin oot yer ain tairms whan ye like. But my paurdon comes first. The folk o the Toun ken I'm here. Gin they dinna hear that I'm paurdont they'll be restless and ye'll hae nae hope o a quait settlement.

LENNOX: I wish I could trust ye.

BOTHWELL: Ye'll hae to. What has my reverent freind o the Kirk to say?

BRUCE: I dout I maun consult my colleagues ootbye.

BOTHWELL: The suner ye dae it the better, then.

THE KING: Guid God, hae I to be keepit here aa mornin! I'm stervin, I tell ye!

BOTHWELL: Sterve for a while langer! What dae the Bailies say?

NICOLL: I dout we maun consult oor colleagues tae.

MORISON: I dout sae.

THE KING: Awa and dae it, then, and gar them agree sune, for Francie's richt, deil and aa as he is. The suner the folk are pacified the better. They maun believe I'm reconciled to the blaggard, or they'll think he's forced my haund. Lennox, ye'll see that they're sent hame frae the Abbey Kirkyaird. Let them ken there'll be a proclamation at the Cross the morn. Nou awa oot o here, the haill damt lot o ye! I maun fin my shune and gang for something to eat. I'm sae sair hungert I wad sell my sowl for a bowl o parritch!

BRUCE: Yer Grace, ye hae juist been saved withoot skaith frae serious jeopardy! I wadna be sae flippant!

THE KING: Gae oot o my sicht, see!

(LENNOX *leaves the chamber.* BRUCE *bows stiffly and follows him. All but* BOTHWELL *proceed to do likewise.* MORTON *is last. As he makes his bow the* KING *addresses him.*)

THE KING: Morton, the gentlemen o my chalmer are aa thrang daein Bothwell's wark, sae ye'll mebbe bide and help me to settle my domestic maitters. Francie, *ye* needna bide. I hae seen eneugh o ye this mornin.

BOTHWELL: I had hoped for a bit crack wi ye, yer Grace. I haena seen ye for a lang time.

THE KING: Ye can see me efter I hae haen my meat!

BOTHWELL: Very weill, yer Grace.

(*He bows elaborately.*)

THE KING: Awa, ye hypocrite.

(BOTHWELL *leaves.*)

THE KING: Morton, ye were on gaird in the coortyaird. Did ye see ocht o Sir Robert Bowes?

MORTON: Na, yer Grace.

THE KING: He hasna been doun frae the Toun, then!

MORTON: No that I ken o.

THE KING: The auld tod's lyin low. Gin he hadna a haund in this mornin's wark I'm nae judge o villains.† We'll see hou sune he shows his face. Nou what aboot yersell? I thocht I could coont aye on loyalty frae ye. What turnt the like o ye against me?

MORTON: The murder o the Bonnie Earl.

THE KING: Tach, the Bonnie Earl. He's been deid thir twa years.

MORTON: I was a freind o his faither's.

THE KING: Aa richt, then, dinna stert. Awa and see aboot my breakfast.

(MORTON *bows and leaves. The* KING, *who is still in his*

*stocking soles, goes into his dressing-closet. As he does so a
pretty fair girl of about sixteen enters by the* QUEEN's *door.
She pauses, listening and looking around, as though search-
ing for someone. The* KING *enters with his shoes in his
hand.*)

THE GIRL: I thocht I heard my faither.

THE KING: Yer faither?

THE GIRL: The Lord Morton.

THE KING: And what are ye daein here?

THE GIRL: I'm a new leddy-in-waitin to the Queen. I cam to tak
the place o the Danish leddy that ran awa to mairry the Laird
Logie whan he brak oot o jeyl.

THE KING: I see. And whan did ye come?

THE GIRL: Last nicht. And I didna sleep a wink wi aa the comin
and gaun in the Queen's chalmer, and this mornin there was
a maist awesome steer, and sic a dingin and bangin on doors
wi mells and hammers, and sic a clashin o swords and firin o
pistols as I neir heard in aa my life afore, and I could fin nae
ane to look efter me, and was sae sair frichtent I could hae
grat. I dae sae wish that I could fin my faither.

THE KING: Did he ken ye were comin last nicht?

THE GIRL: Na, for when we cam til the Toun yestrein my mither
gaed to speir for him at his ludgin, and he hadna been near it
for twa days.

THE KING: He wad be awa on some errand for the King, likely.

THE GIRL: Ay, mebbe.

THE KING: Or for the Earl o Bothwell?

THE GIRL: Weill, I dinna ken. Mebbe he was.

THE KING: He wasna a loyal man for the King, then, aye?

THE GIRL: Na, he said the King was whiles ill coonselt.

THE KING: Ye haena seen the King?

THE GIRL: Na.

THE KING: Ye'll hae heard aboot him, though?

THE GIRL: Oh ay.

THE KING: And what hae ye heard?

THE GIRL: That he's faur frae braw, and weirs the maist horrid auld claes. And he's a gey glutton, and sweirs and drinks ower muckle. But he's a great scholar and writes poetry.

THE KING: Ye'll no hae heard ony o his poetry?

THE GIRL: Oh ay. My mither said that gin I were to gang til the Coort I suld ken the King's poetry. I hae some o his sonnets aff by hairt.†

THE KING: And what dae ye think o them?

THE GIRL: Ah weill, they're ower clever for me. They're fou o pagan gods I neir heard tell o.

THE KING: He'll mebbe tell ye aa aboot them ae day himsell. But yer faither gaed through that door no twa meenits syne. He's awa to see aboot the King's breakfast.

THE GIRL: The King's breakfast?

THE KING: Ay. Tell him I'll be in for it as sune as I hae on my shune.

THE GIRL: (*Incredulously*) Are *ye* the King?

THE KING: Are ye disappeyntit?

THE GIRL: (*In an awed whisper*) Yer Grace.

(*She curtsies elaborately and steps backwards a few paces towards the door of the audience-chamber.*)

I didna ken.

(*She curtsies again and steps backwards to the door. With a further final curtsy she backs out into the audience-chamber. The* KING *stares after her and scratches his head.*)

CURTAIN

ACT III

"The Kingis chalmer in the palace of Halyroudhous" Edinburgh,
XI August, 1593   *Early morning*

The KING's *bed-chamber in Holyrood House. The window-cur-*
tains are drawn close, but the curtains of the bed are open and
the bed-clothes undisturbed. A fire is burning, and there are lit
candles on the table.

The KING, *cloaked and booted for travelling, is sitting writing.*†
He glances up now and again furtively, as though listening for
every sound.

Suddenly he appears to hear something from the direction of
the QUEEN's *chamber. He rises silently from his chair and backs*
away towards the door of the audience-chamber, concealing
the letter he has been writing. The QUEEN's *door opens and the*
Earl of Morton's daughter, wearing a cloak over her nightgown,
enters on tiptoe. She carries a shaded lantern. She closes the door
quietly. The KING *comes forward to her. They speak softly.*

THE KING: Did Lesley manage oot?
THE GIRL: I dinna ken yet. I took him doun to the covert causey,*
  but he'll hae to bide there till the mune's daurkent afore he
  can cross the coortyaird. The gairds are aa on the alert.
THE KING: Guid God, I hope he'll manage through. He suldna
  hae left his horse in the stables. If he's catchit wi that letter
  they'll stop me tae. Is there nae word frae the ithers at aa
  yet?
THE GIRL: They're gaun to bring their horses to St Mary's Wynd.
  Ye hae to leave when there's a rattle at the winnock. Ye
  maun gang through the Abbey Kirk nave and oot by the

abbot's door, syne through the kirkyaird to the back yett. Twa o them'll meet ye there.

THE KING: Could they no hae met me nearer haund?

THE GIRL: Na. Ogilvy has to rattle at the winnock wi a haundfou o stanes, then mak for the wynd by the North Gairdens. He daesna want to tak the same gait as yersell in case he's seen.

THE KING: And what aboot the Erskines?†

THE GIRL: Ane o them'll hae to haud the horses, and the ither twa hae the porter at the yett to deal wi.

THE KING: They micht hae foun some ither way. It'll be gey frichtsome crossin that kirkyaird in the daurk.

THE GIRL: It's faur frae daurk, yer Grace. It's that bricht wi the mune ye'll hae to hide gey low ahint the heid-stanes.

THE KING: (Shivering) I wish it was aa ower. Is her Grace sleepin soun?

THE GIRL: Ay. Aa wad be as quait as the grave gin it werena for the gairds.

THE KING: Dinna mention graves! I'll see eneugh o them the nicht! Has there been nae steer frae Bothwell or the Lords?

THE GIRL: Na. They had sic a nicht wi the drams that they'll sleep till denner-time the morn.

THE KING: Aa richt, then. I hae a letter I maun feenish. Gae ower to the winnock and listen for the rattle. Will it come sune?

THE GIRL: As sune as Ogilvy kens they hae the horses there.

THE KING: Listen weill, then and be as quait as ye can.

(The GIRL, placing her lantern on the floor, goes to the window. The KING sits down again and goes on with his letter. As he concludes it and is drying the ink the clock on the Canongait steeple strikes three. Both start at the first note.)

THE KING: That's three. They're late.

(Immediately he has spoken there is a faint commotion from somewhere beyond the interior of the Palace.)

THE KING: What's that?

THE GIRL: (*Rushing over to him on tiptoe*) It's frae the ither end o the coortyaird!

THE KING: It maun be Lesley!

THE GIRL: Oh what a shame!

THE KING: The thowless gommeril!* Wheesht!

(*The commotion continues. There are a few distant shouts and sounds of people running backwards and forwards. suddenly there is a rattle of stones on the window.*)

THE GIRL: (*Excitedly and rather loudly*) That's Ogilvy!

THE KING: (*Picking up his letter quickly*) I'll hae them dished yet! Come on!

(*The GIRL picks up the lantern and moves with the KING quickly to the QUEEN's door. Voices are heard suddenly from the QUEEN's chamber.*)

THE GIRL: She's wauken!

THE KING: Guid God Almichty! (*Pulling her back from the QUEEN's door*) Sh! Oh, what'll I dae?

THE GIRL: Try the ither door! Ye micht win through!

THE KING: It's ower weill gairdit, I tell ye!

THE GIRL: (*Hurrying over to the door of the audience-chamber*) It's yer ae chance! Hurry! She micht come in!

(*Voices are heard again from the QUEEN's chamber. The KING hurries over beside her*) Tak ye the lantern! I'll bide here! (*She gives him the lantern and opens the door. More stones rattle on the window*) There's the rattle again. Oh, man, hurry!

(*The KING hurries out nervously. The GIRL closes the door quietly, looks anxiously at the QUEEN's door, hesitates, blows out the candles and goes behind the window-curtains. The QUEEN enters with LADY ATHOLL. Both have cloaks over their nightgowns and the QUEEN carries a candle.*)

THE QUEEN: The bed! It is toom! He is gaen!

LADY A: I'm shair I heard him.

THE QUEEN: And wha else? He daesna speak wi himsell! Look for the Earl Morton his dochter! See if she sleep!

(LADY ATHOLL *hurries out again. The* QUEEN *goes to the door of the dressing-closet holds up the candle, and looks in. There is a knock at the door of the audience-chamber.*)

THE QUEEN: (*Turning*) Come in.

(SIR JAMES MELVILLE *enters wearing a long nightgown and cowl. He carries a candle.*)

MELVILLE: Paurdon me, yer Grace, but I wonert if his Grace was safe. There's been a steer in the coortyaird.

THE QUEEN: The bed! See! He is awa!

MELVILLE: Awa! But whaur can he be?

THE QUEEN: I want to fin oot!

(LADY ATHOLL *enters.*)

LADY A: Morton's dochter's gaen tae! She isna in her bed!

THE QUEEN: I kent it! He luve her!†

LADY A: But whaur are they?

THE QUEEN: They hide! Ablow the bed! Look!

LADY A: But there was a steer in the coortyaird! They maun hae gaen oot!

THE QUEEN: Sir Jamie! Look ablow the bed!

(SIR JAMES *goes down on his knees to look below the bed. Two pistol shots are heard from beyond the window.*)

THE QUEEN: (*Looking towards the window*) They bang pistols!

(SIR JAMES *rises quickly from his knees.* LADY ATHOLL *rushes over and draws the curtains from the window. Bright moonlight reveals the* GIRL.)

LADY A: (*Startled*) Oh!

THE QUEEN: Aha! She is foun! Come oot!

(*The* GIRL *steps forward.*)

77

THE QUEEN: Whaur is his Grace?

THE GIRL: I dinna ken.

THE QUEEN: Sir Jamie? Hae ye lookit?

MELVILLE: He isna there, yer Grace.

THE QUEEN: (*To the* GIRL) Whaur has he gaen?

THE GIRL: I dinna ken.

THE QUEEN: Ye dae ken! Ye lee! Whaur has he gaen? The Queen speirs! Answer!

THE GIRL: I winna!

THE QUEEN: Oho! Ye winna! I will hae ye in the jougs! I will hae ye tied to the Tron! I will hae yer lugs cut aff.

MELVILLE: Yer Grace—

THE QUEEN: Be quait! I speir! I maun be answert! Whaur has he gaen?

MELVILLE: There's mair noise ootbye!

(*There is some shouting from beyond the audience-chamber. All turn to listen. As they do so the* KING *enters, facing outwards, and closes the door quickly. He turns round to mop his brow and draw a breath of relief, and becomes aware of the others.*)

THE QUEEN: Aha! Ye are here! Ye are catchit!

MELVILLE: What's wrang, yer Grace?

THE QUEEN: It is for me to speir!

THE KING: (*In an intense whisper*) Awa to yer bed and leave me alane!

THE QUEEN: I bide till I hear aa! I will hae it oot! (*Pointing to the* GIRL) She hide ahint yer curtains! I hear her speak! I hear ye baith speak whan I wauken! What daes she dae in here?

THE KING: (*Still whispering, almost pleadingly*) Dinna shout and wauken the haill Palace!

THE QUEEN: Na! Let nane ken that the King his Grace is catchit wi ane o the Queen's leddies! The Preachers micht ding bang on their big books! They micht peynt fingers!

MELVILLE: (*Soothingly*) Ye'd better explain yersell, yer Grace.

THE KING: (*Still keeping his voice low*) Haud ye yer tongue!

Ye're doitit! The lassie's young eneugh to be my dochter! She was helpin me in maitters o state!

THE QUEEN: Maitters o state! Yer dochter! Huh!

THE KING: (*Losing his temper and raising his voice*) Awa to yer beds when ye're telt! I'm no gaun to be talked to like a bairn! What dae ye think I'm daein wi my ootdoor claes on? Daes it look as if I'm up to ony o yer Lennox ploys? I'm gaun to Falkland, I tell ye! I'm gaun to win my freedom!†

THE QUEEN: Ye were for takin her!

THE KING: Dinna be stippit! She's in her nichtgoun!

THE QUEEN: She is here and no in bed!

THE KING: She was helpin me to win my wey oot!

THE QUEEN: Ye canna fin yer ain wey oot! Ye need help frae a new lassie! It is lees! She is wi ye aye! She is here afore! I hear souns in the nicht ower and ower again! I thocht! I ken nou! (*Almost weeping*) Oh Sir Jamie, I am wranged! He shame me! The folk! They will talk! They will sing sangs! (*Turning suddenly on the* GIRL) Awa! Awa or I will claw yer een oot! I will teir aff yer hair! I will scratch!

(*She rushes towards the* GIRL, *who retreats behind the* KING.)

THE KING: Leave her alane! Rin, lass!

(*The* GIRL *hurries out by the* QUEEN's *door. The* KING *intercepts the* QUEEN *by holding her with his free hand.*)

THE QUEEN: Let me past!

THE KING: (*Swinging his lantern threateningly*) Haud aff, see!

THE QUEEN: (*Retreating*) Oh ye blaggard, ye wad ding me wi yer licht!

THE KING: Staun at peace, then!

THE QUEEN: Oh ye are hairtless! Ye dinna care if I am hurt! Ye say to me like dirt! Ye gar me staun at peace as if I am a cuddy! (*Turning sobbingly to* SIR JAMES *for comfort*) Oh Sir Jamie, it is the hin end!* He luve her mair nor me!

MELVILLE: (*Taking her in his arms. To the* KING) Yer Grace, ye

79

hae gaen ower faur!

THE KING: Tak her awa oot o here.

MELVILLE: Man, ye wadna talk like that gin ye kent o her condeetion! It's time yer een were opened! (*To* LADY ATHOLL) My Leddy, tak her Grace til her bed. Gae awa nou, yer Grace, and hae a guid greit. Ye're sair ower wrocht.

THE QUEEN: Oh I am dune!

MELVILLE: Ay ay, yer Grace. That's richt, my Leddy. Tak her awa.

LADY A: (*Leading the* QUEEN *out*) Come nou, yer Grace.

(*The* QUEEN, *still sobbing, leaves with* LADY ATHOLL.)

THE KING: (*Puzzled by* MELVILLE'*s manner*) What's come ower ye?

MELVILLE: (*Going to the table*) We'll licht the caunles, I think. I maun hae a talk wi ye.

THE KING: Leave the caunles alane! The curtains are open! (*Putting his lantern on the table and rushing over to draw the curtains*) Damn it, ye'll sune hae the haill Palace doun on us! What's come ower ye, I'm askin?

MELVILLE: (*Lighting the candles*) We'll win faurer, yer Grace, gin ye'll juist calm yersell and sit doun. I hae something to tell ye that'll hae a maist momentous effect on yer poseetion as a monarch. Something, I micht venture to say, that'll cheynge the poleetical situation in ilka realm o Christendom.

THE KING: Eh?

MELVILLE: Sit doun. (*The* KING, *as though hypnotised, sits on the chair beside the bed*) Yer Grace, ye'll ken I play my pairt in the affairs o the Coort wi dignity and reserve, and haud mysell aloof frae the clavers o the kitchen and the tittle-tattle o the Queen's leddies, but in my poseetion as heid gentleman o her Grace's chalmer there's mony a private maitter comes to my notice that I canna athegither ignore, though I hope I keep aye in mind the fact that my poseetion's preeviliged, and gaird ilka secret mair nor it were my ain. Nou if her Grace and yersell enjoyed the intimacy and mutual affection that belang o richt to the holy state o matrimony I wad be spared my praisent predeecament, for nae dout she wad be gey prood to tell ye o the maitter hersell, but to the sorrow o yer subjects ye hae baith gaen the gait that leads to dout and suspeecion, and there's a brek atween ye that can only be mendit by an auld servant like mysell. Yer Grace, I'm gaun to tell ye something that suld gar ye sweir anew the solemn vows ye took at yer nuptials, something that suld gar ye turn again to the bonnie lass ye brocht wi ye frae Denmark, whan yer hairt was lichter nor it is nou, and yer ee was bricht wi luve.

THE KING: (*Intensely excited*) Sir Jamie! Is it a bairn?†

MELVILLE: Yer Grace, ye may lippen for an heir in the coorse o the comin year.

THE KING: (*Soberly*) It's what I hae hoped for wi aa my hairt. (*Pause*) But I'm sair bothert wi douts, Sir Jamie. (*Bitterly*) If I could juist be shair I'll be the faither!

MELVILLE: Yer Grace!

THE KING: Dinna be an auld wife! Ye ken **as** weill as mysell that the bairn micht belang to Lennox!

MELVILLE: That's juist whaur ye're wrang, yer Grace! I ken it's yer ain!

THE KING: Hou i' the Deil's name can ye ken that?

MELVILLE: Juist listen weill and I'll explain. It taks a lang experience o life, yer Grace, to gie a man a knowledge o human nature, and in that respect I hae the better o ye.

THE KING: Ay ay, ye're auld eneugh to be my faither! I ken that!

MELVILLE: Juist that, yer Grace, but I was young ance, and in my early days I had mony an opportunity for insicht that daesna come the wey o maist men, parteecularly in regaird to the weys o weemen, for was I no ambassador frae yer mither to her Majesty in England?†

THE KING: Ye're tellin me naethin I dinna ken! Come to the peynt! Hou dae ye ken the bairn'll be mine?

MELVILLE: I'll tell ye gin ye'll juist hae patience.

THE KING: Hou can I hae patience? I hae tried to leave and

couldna win past the gairds, and my freinds ootbye hae been catchit! Bothwell'll be in ony meenit! Hou dae ye ken the bairn'll be mine, I'm askin?

MELVILLE: Weill, yer Grace, I'll come to the peynt, but it's a gey kittle* maitter to explain in juist ae word.

THE KING: For God's sake try yer best! Oot wi't?

MELVILLE: Ye see, whan her Grace fand Morton's dochter in yer chalmer here she was gey upset.

THE KING: And what aboot it?

MELVILLE: Weill, yer Grace, hae ye eir afore kent her flee intil sic a rage as she did at that lassie, or rack her bonnie breist wi sic mains and sabs? There was mair nor her pride hurt. (*With great point*) She was jealous! Nou think, yer Grace. Wad she hae felt like that gin she hadna kent ye were the faither o her bairn?

THE KING: (*After a long pause, reflectively*) Ye're richt, Sir Jamie. Ye're richt. I see it nou. (*Contritely*) Puir sowl, I haena been guid to her. Nae woner she turnt against me. She gaed daffin wi some o the Lords, mebbe, but then she was neglecktit. I didna pey her eneugh attention.

MELVILLE: And a bonnie lass, yer Grace, lippens aye for attention.

THE KING: Sir Jamie, I sweir I'll mak amends. I'll stert aa ower again. I'll coort her like a laddie. (*Pause*) But I'm over sair beset the nou. I'm hemmed in wi faes. I can hae nae peace till I win my freedom.

MELVILLE: Ye'll win yer freedom, yer Grace, whan ye show that ye hae nae mair thocht o haein traffic wi the Papists.

THE KING: Wha eir thocht o haein traffic wi the Papists? I'm soond in doctrine. I wadna thole the Papists for a meenit gin they werena my ae hope against Bothwell!

MELVILLE: Naen o the Lords wad hae jeynt wi Bothwell gin ye had keepit the Papists at airm's length frae the stert!

THE KING: Havers! Hauf o them jeynt because o their spite at the Chancellor!

MELVILLE: And had they no just cause? Did the Chancellor no

wrang the Bonnie Earl? (*More meaningly*) And has he no wranged my Lord Lennox and her Grace?

THE KING: I dinna ken, Sir Jamie. I woner.

MELVILLE: He filled yer heid wi lees aboot them.

THE KING: Sir Jamie, I had soond gruns for my suspeecion. I hae seen them thegither in mony a compromisin poseetion.

MELVILLE: Ye were neglectin her, yer Grace. She maun hae led him on juist to anger ye.

THE KING: That was nae excuse for him! He was gey eager to be led!

MELVILLE: Let me ask ye this, yer Grace. Hae ye eir foun my Lord Lennox in her Grace's chalmer in the middle o the nicht?

THE KING: Eh!

MELVILLE: I dout there are soond gruns for suspeecion on mair sides nor ane, yer Grace.

THE KING: Sir Jamie, I sweir there's naething in it. The lass was helpin me to win my wey past the gairds. I haena gien her a thocht.

MELVILLE: Yer Grace, gin ye ettle folk to gie a generous inter-pretation to yer ain ploys, ye maun be ready to be generous yersell.

THE KING: (*Diplomatically*) Ye're richt, Sir Jamie. Ye're richt. I maun be generous. I'll mak amends. Listen. The Palace seems quait again, but the steer canna hae blawn ower. Bothwell winna be lang. Dae ye think ye could win at Lodovick withoot bein seen? Try to win him roun. Tell him that I ken hae wranged him. Say I'll dae aa in my pouer to win back his freind-ship. Ask him to come in.

MELVILLE: I'll try, yer Grace.

THE KING: Haud on, though. I hae thocht o something else. Yer news has gien me hairt. Dae ye no see? It'll strengthen my poseetion in regaird to the English Croun. What the English want, Sir Jamie, efter aa thae years o wonerin whaur to turn in the event o their Queen's daith, is a settled succession. They'll hae that nou gin they hae me.

MELVILLE: They'll hae to be shair that baith King and heir are soond in their releegion, yer Grace.

THE KING: Hae nae fear o that, Sir Jamie. Ance I can redd mysell o Bothwell I'll win my wey clear o the Papists. Man, I wad dearly luve to see her English Majesty's face whan she hears what ye hae telt me the nicht. It'll be a bitter dose for her to swallow, that's a barren stock hersell. Whan ye hae waukent Lodovick, Sir Jamie, try to win through to Sir Robert Bowes. I wad sweir he's been in tow wi Bothwell, but I neir thocht till this meenit to challenge him till his face. He winna daur acknowledge it. He'll hae to tak my side. And I'll mebbe gie him a hint o hou the wind blaws. Man, that wad tickle him up.

MELVILLE: It wad be a queer time i' the mornin, yer Grace, to inform a foreign ambassador that there's an heir on the wey.

THE KING: I want Sir Robert here! I want to play him against Bothwell! Awa and fetch him whan ye're telt! (*Suddenly*) What's that!

(*A guard beyond the door of the audience-chamber has been heard making a challenge.*)

MELVILLE: It soondit like a challenge frae ane o the gairds!

THE KING: It's Bothwell nou! Hurry oot! Gae through the Queen's chalmer!

MELVILLE: But I'll hae to gang the ither wey to win at my claes!

THE KING: Dae withoot yer claes! It canna be helpit! Lodovick'll lend ye something! (*He opens the door of the* QUEEN's *chamber*) Hurry!

(SIR JAMES *goes into the* QUEEN's *chamber. There is a scream, then a sound of voices, then silence as the* KING *closes the door. He hurriedly removes his cloak and seats himself in the chair beside the bed. The door of the audience-chamber opens and* BOTHWELL *appears, incompletely dressed, and carrying two letters.*)

BOTHWELL: (*As he opens the door*) He's here. Haud ye the door, Atholl, and keep Colville quait. (*Turning into the chamber*) Ay ay, yer Grace, sae ye're haein a quait sit-doun by the fire.

Wad ye no feel mair at ease wi yer buits aff?

THE KING: I didna hear ye chappin.*

BOTHWELL: I had thocht frae thir twa letters that ye micht be weill on yer wey to Falkland.

THE KING: (*Restraining a motion of his hand towards the inside of his doublet*) What twa letters?

BOTHWELL: Ane directit to my Lord Hume, that was taen frae Lesley in the coortyaird. The ither directit to my Lord Huntly, that was foun at the end o the ither chalmer. Ye let it drap, nae dout, whan ye were frichtent by the gairds.

THE KING: Sae ye hae read them?

BOTHWELL: I canna deny it, and what I hae read reflects on yer Grace's honour. Ye're for slippin awa, are ye, withoot setting yer haund to oor agreement?

THE KING: What's to hinder me frae gaun nou? Ye hae gotten what ye wantit! Ye hae frichtent the Coort o Session into lettin ye gang skaithless for aa yer North Berwick ploys!

BOTHWELL: I stude my trial and was cleared!

THE KING: Trial! It was nae trial! It was naething but perjury frae stert to feenish!† There wasna a lawyer or a witness that wisna feart to speak against ye! Ye had men airmed to the teeth in ilka closs in the Hie Gait! The Tolbooth was like an airmed camp!

BOTHWELL: The case was focht on its merits! Craig my coonsel† tore the chairge to shreds!

THE KING: The Prosecution wasna free to speak oot, or Craig wad hae been flummoxed on ilka peynt he raised! The gowk havert the maist illogical nonsense I eir heard in aa my life! Him and his Uvierus! Wha was Uvierus to be coontit an authority? A doctor wha maintained the auld error o the Sadducees in denying the existence o speerits! Uvierus, forsooth! I could hae quotit some authorities!† What aboot the Daemonomanie o Bodinus, that's fou o witches' confessions? What aboot the fowerth book of Cornelius Agrippa, that's fou o descriptions o their rites and curiosities? What aboot Hemmingius and Hyperius, that gie ye accoonts o ilka black airt there is, dividit into the fower heids o Magic, Necromoncy, Sorcery and Witchcraft? And yer coonsel had the impiddence to deny speerits athegither, and say that witchcraft was a delusion in the minds o crazed auld weemen! But by God wait! I'm writin a book mysell, and I'll tak gey guid care to controvert him on ilka peynt he pat forrit!

BOTHWELL: I dout yer book'll be ower late to mak ony difference to yesterday's verdict.

THE KING: Verdict! It gars my bluid beyl! Ritchie Graham suld neir hae been brunt! He suld hae been keepit in the Castle jeyl till yer ain trial was ower! He wad hae damned ye!

BOTHWELL: His evidence was brocht forrit!

THE KING: It hadna been taen doun richt! It was aa muddlet! He suld hae been there to clear up aa the obscurities!

BOTHWELL: Weill, yer Grace, it was yer ain coort that brunt him.

THE KING: It suld hae brunt ye tae! Ye're a plague! Ye hae been a constant terror to the country sin ye first brak oot o jeyl! Certies, but yer witchcraft has led ye a bonnie dance! Ye wad neir hae been in bother at aa gin ye had left it weill alane!

BOTHWELL: I hae been cleared, damn ye!

THE KING: Ye tried to hae me drount, I tell ye! Ye tried to pousin me! And for what, Francie? For what? Did the pouer ye had on the Cooncil whan I was in Denmark wi the Chancellor gang til yer heid? Did ye think that gin I didna come back ye wad hae it aa yer ain wey? Ye're a cauld-bluidit, schemin ambeetious scoondrel!

BOTHWELL: (Angrily, with his hands on his hilt) Dinna let yer tongue cairry ye awa wi it!

THE KING: Tak yer haund frae yer hilt, man! Yer threats cairry nae terrors nou! I ken juist hou faur ye can gang! What hae ye dune wi Lesley and the Erskines? What's happened to Ogilvy? Gin they hae come to hairm I'll gar ye suffer!

BOTHWELL: They're lockit up!

THE KING: Then ye'll let them gang! It's nae crime to be loyal to yer King!

BOTHWELL: They haena been loyal to me!

THE KING: And wha are ye to demand loyalty? Ye mebbe haena been foun guilty, but ye arena an anointit King! I'm gaun to Falkland, I tell ye, and ye hae nae richt to stop me!

BOTHWELL: I hae a richt to stop ye till ye hae signed oor agreement! I was to be paurdont for treason gin I was acquitit o witchcraft!

THE KING: Ye promised if ye were acquitit to bide awa frae the Coort!

BOTHWELL: If I was gien my grun back! And if the Bonnie Earl's murder was avenged!

THE KING: Ye deil, ye mean to stey for ever!

BOTHWELL: I'll stey till then!

THE KING: We'll see what the ithers hae to say aboot that!

BOTHWELL: We'll see what they say aboot thir* twa letters!

THE KING: God, ye're the Deil himsell!

(ATHOLL *enters hurriedly.*)

ATHOLL: (*To* BOTHWELL) Lennox is here!

BOTHWELL: Eh!

THE KING: Fetch him in! Fetch him in, I tell ye!

(LENNOX *appears as he speaks.* COLVILLE, *very drunk, staggers in behind him.*)

BOTHWELL: (*To* ATHOLL, *who looks to him for guidance*) Let him be. Bide ye ootbye, Colville!

COLVILLE: I want to hear watsh gaun on.

BOTHWELL: Pitch him oot, Atholl.

COLVILLE: (*To the* KING, *as* ATHOLL *grips him*) Hang the Papistsh!†

(ATHOLL *heaves him out. He then closes the door, remaining on guard, but inside.*)

LENNOX: (*Ignoring* BOTHWELL *and turning to the* KING) Yer Grace, I heard a steer in the coortyaird and made haste to dress mysell. I thocht ye micht need me.

BOTHWELL: My Lord Duke—

LENNOX: I spak to his Grace!

THE KING: That's richt, Lodovick! Gar him keep his place! He's been staunin there talkin like God Almichty!

LENNOX: What is he daein here?

BOTHWELL: I'll tell ye, my Lord.

THE KING: Ye'll haud yer tongue! Lodovick, I had planned to gang to Falkland to win oot o his wey. Ane or twa o the loyal men in the Palace Gaird were gaun to meet me in St Mary's Wynd wi horses. I thocht it wad be better to slip awa withoot ony steer. I didna want ony bluidshed. But that blaggard fand oot! He winna let me leave!

LENNOX: (To BOTHWELL) Ye promised to leave his Grace alane gin ye were acquitit at yer trial!

BOTHWELL: He hasna signed the articles o remission! I was promised back my grun!

THE KING: He says he's gaun to stey till we avenge the Bonnie Earl!

LENNOX: Juist that! He has nae intention o leaving the Coort at aa! My Lord, ye needna think we're blin. Colville's ower fond o his dram to mak a guid conspeerator. He's been braggin o his appeyntment to the new Privy Cooncil!

THE KING: Eh!

LENNOX: He's to be yer Grace's new Lord Secretary!

THE KING: Guid God, the deil can haurdly put pen to pairchment!

BOTHWELL: He's as guid a clerk as ony at the Coort!

THE KING: He's an illeeterate ignoramous! And what's to be yer ain office, whan we're on the subject? Hae I to staun doun and offer ye *my* job?

LENNOX: He's to be Lord Lieutenant, wi Atholl as his depute!

THE KING: A bonnie mess they'd mak atween them! They'd be for herryin and reivin aa ower the country!

ATHOLL: We'd be for keepin yer promise to the Kirk and houndin doun the Papists!

THE KING: Ye'd be for grabbin aa the grun ye could lay yer haunds on! Wha dae ye think ye are, the pair o ye? Dae ye think that ilka Lord and Laird's gaun to staun bye and see the like o ye twa divide the haill country atween ye? There wad be wars, slauchters, spulzies* and commotions whaur eir ye gied a tuck o the drum or a blaw o the trumpet! And wha wad pey for yer men? The Croun, think ye? What wad the Burghs hae to say to that? Dae ye think they're gaun to pey taxes to let ye twa rin aboot reivin?

ATHOLL: We'll hae the Kirk ahint us!

THE KING: What'll the kirk avail against the Lords and the Burghs? I tell ye, Francie, ye hae shot ower the mark! Ye suld hae been content wi remission! Ye micht hae gotten that!

BOTHWELL: Ye arena at Falkland yet, yer Grace!

THE KING: And wha'll gar me bide nou? The Toun, think ye, or the ither Lords? Lodovick, fin Ochiltree and Morton!

BOTHWELL: Haud on, my Lord! Ye dinna ken the haill story! Tak a look at thir twa letters.

(*He hands them towards* LENNOX.)

THE KING: (*Leaning forward and seizing them*) Gie them to me, ye blaggard!

BOTHWELL: Ye see, my Lord, he daesna want ye to ken their contents. They were for my Lords Huntly and Hume, nae less.

THE KING: And what wey no? Ye made a jeyl o my Palace! Had I nae richt to try and win oot? I wrote to the only freinds I thocht I had!

LENNOX: Yer Grace, I dinna blame ye.

BOTHWELL: By God, Lennox, ye hae turnt yer tabard!*

LENNOX: I staun whaur I stude aye! I didna bring ye in to usurp royal authority!

BOTHWELL: Ye thocht ye micht usurp it yersell, nae dout!

LENNOX: I had nae thocht bune to save his Grace frae Maitland!

BOTHWELL: What aboot Maitland's freinds, the very men he's for jeynin wi at Falkland!

LENNOX: He needna jeyn them gin he can fin freinds nearer haund! Yer Grace, I'll fetch the ither Lords.

BOTHWELL: (*Drawing*) Ye'll bide whaur ye are!

(LENNOX *is about to draw when he hears* ATHOLL *drawing*

also. He pauses with his hand on his hilt.)

THE KING: Ye murderin blaggards! Ye cut-throat scoondrels.

(There is a knock at the door of the audience-chamber. All turn. The door opens and MELVILLE *enters, clad in night-gown, cloak and boots. He looks in alarm at* BOTHWELL *and* ATHOLL, *who hasten to sheathe their weapons.)*

THE KING: Ye see, Sir Jamie, ye're juist in time! They were for hackin Lodovick doun! Hae ye brocht Sir Robert Bowes?

MELVILLE: He'll be doun as sune as he can dress, yer Grace.

BOTHWELL: Eh! What gart ye gang for Sir Robert?

MELVILLE: I gaed at his Grace's order!

BOTHWELL: Ye auld meddler! Hou did ye pass the gairds?

MELVILLE: Yer gairds didna see me! They had been ower thrang in St Mary's Wynd! (MORTON *suddenly appears at the door of the audience-chamber and shouts to someone beyond, "They're here! Hurry!" All turn and look towards him.* SIR JAMES *hastens to explain)* Yer Grace, I took the liberty, whan I cam in, to wauken the ither Lords.

(MORTON, dressed in shirt and breeches, and carrying a naked sword, turns into the room.)

MORTON: What's gaun on?

THE KING: Come in, my Lord. I want ye.

MORTON: *(Startled)* What's that!

(A sudden thump has been heard. All look towards the door There are mutterings and exclamations and OCHILTREE *enters, in shirt and breeches, holding his brow with one hand and his sword in the other.)*

LENNOX: What's wrang wi ye?

OCHILTREE: Wha's been fechtin? There's a deid man oot there! I tummlet ower him!

THE KING: It's that deil Colville lyin drunk! Are ye hurt, my Lord?

OCHILTREE: (*Rubbing his brow*) I gat a gey sair dunt.

THE KING: Ye'll hae to keep yer freinds in better order, Bothwell!

BOTHWELL: I'm no my brither's keeper!

THE KING: It was ye that brocht the blaggard here! (*To* OCHILTREE *and* MORTON) My Lords, he winna leave the Coort! He threatens to bide and tak office!

OCHILTREE: What! That was nae pairt o the bargain, my Lord.

BOTHWELL: It was! Ye brocht me in to avenge the Bonnie Earl!

OCHILTREE: Ye were brocht in to force his Grace's promise! Ye werena brocht in to cairry it oot!

BOTHWELL: And wha'll dae it gin I dinna bide? He'll rin back to the Papists at ance!

OCHILTREE: We hae his Grace's promise that he'll keep them frae the Coort!

BOTHWELL: He was for sneakin aff this very nicht to Falkland! He had written to Huntly and Hume!

OCHILTREE: I dinna believe it!

LENNOX: (*To* OCHILTREE) Ye canna blame him! He had to fin freinds somewhaur!

BOTHWELL: He promised to hae nae mair to dae wi the Papists!

LENNOX: He didna ken he was to hae nae freedom. He had yer ain promise to leave the Coort!

BOTHWELL: When I was paurdont and gien back my grun!†

MORTON: Yer paurdon was cried at the Cross!

BOTHWELL: What guid will that dae if he ance slips through my fingers?

MORTON: Ye canna haud him in yer pouer aye! There maun be some respect for the Croun! Yer paurdon was promised afore witnesses! They'll mak shair ye're gien yer grun back!

BOTHWELL: They'll mak shair! By God it's likely! They'll be ower thrang featherin their ain nests!

OCHILTREE: My Lord, ye dae us wrang!

BOTHWELL: Ye ken I'm richt! (*To the others*) Ye wantit Maitland oot o the wey because his freinds had ower muckle pouer, but ye hadna the guts to force his Grace's haund yersells! Ye had to bring me in! And nou I hae dune it ye're for houndin me oot! Ye're feart that gin I bide I'll hae to share in the favours!

MORTON: Ye hae come oot o't gey weill, my Lord! Ye hae won yer acquittal!

BOTHWELL: Hae I to thank ye for that? I had to staun my trial for't!

MORTON: Ye were shair o the verdict! The Tolbooth was packed wi yer men.

BOTHWELL: By God it was juist as weill! There isna ane o ye wad hae liftit a finger to help me gin I had been foun guilty! Ye're a lot o sleekit, avareecious rats!

MORTON (*Gripping his sword fiercely*) Ye're gaun ower faur!

BOTHWELL: Ay ay, Morton, and ye're the warst o them! I ken what's gart ye cheynge yer tune! Ye lippen for his Grace's favour as the price o yer dochter!

MORTON: (*Drawing*) Ye messan!* Tak that back!

BOTHWELL: (*Likewise*) Ye ken it's the truth!

(*They start to fence.*)

THE KING: (*Keeping well out of danger*) Rin him through, Morton! Hack him to bits!

MELVILLE: Stop them!

ATHOLL: (*Drawing*) Leave them alane!

LENNOX: (*Turning on* ATHOLL) Staun ye back!

OCHILTREE: (*Stepping over between* BOTHWELL *and* MORTON *and striking up their swords*) My Lords! Haud doun!

(SPYNIE *enters hurriedly.*)

SPYNIE: For God's sake quaiten doun! Here's Sir Robert Bowes!

(*All attempt to look respectable.*)

THE KING: Whaur is he?

SPYNIE: At the faur door o the ither chalmer. I could hear the steer.

THE KING: Will he hae heard it, think ye?

SPYNIE: I dout sae.

THE KING: Dear me. (*Pause*) Ay weill, bring him in. (SPYNIE *makes to leave*) And Spynie! (SPYNIE *turns in the doorway*) Watch he daesna trip ower Colville. He's lyin drunk at the door.

SPYNIE: Very weill, yer Grace.

(*He leaves.*)

MELVILLE: It's the wark o Providence. We micht aa hae been slauchtert.

THE KING: The credit's yer ain, Sir Jamie. It was ye wha gaed for him.

(SPYNIE *enters with* SIR ROBERT BOWES.)†

SPYNIE: (*Bowing*) Sir Robert Bowes.

(*He leaves and closes the door.*)

THE KING: I'm sorry to hae sent for ye at this time o the mornin, Sir Robert, but yer praisence is needit.

SIR ROBERT: (*Bowing*) Your Majesty, it is indeed early, and the morning is cold. Your business must be urgent.

THE KING: It's treason, Sir Robert! Naething less! There are some here that wad usurp my authority! Bothwell here threatens to haud me in his pouer! He winna let me leave for Falkland!

SIR ROBERT: Indeed! My Lord Bothwell, I am astounded!

THE KING: Dinna let on to be astoundit at onything he daes! Weill ye ken he's been a terror to me for the last twa year! He raidit Falkland ance! He's raidit the Palace here twice! He cam intil my very chalmer a fortnicht syne wi his sword in his haund to gar me gie him back his grun! And nou he threatens to bide on and tak office!

SIR ROBERT: My Lord, you are ambitious! But surely, your Majesty, you can use your royal authority? Have you not power to send him to the gallows? Or do your Lords, too, turn traitor?

THE KING: To tell ye the truith, Sir Robert, it was the ither Lords that brocht him in.

SIR ROBERT: Your Majesty, I feared it. I have been aware, indeed, of the recent events at your Court, for I follow your fortunes closely, and I make bold to say that the pardon of an outlawed traitor, who hath violated the royal chamber and threatened the royal person, is an act that would be unheard of in an ordered Christian realm. It is an act, your Majesty, which the Queen my mistress, secure in her English Court, and accustomed to the obedience and devotion of her subjects, will hear of with profound amazement.†

THE KING: Oh ay, Sir Robert, stert to craw. I could keep order tae gin I had the siller. She can afford to keep a guid gaird.

SIR ROBERT: Her ability to do so, your Majesty, may be due to her shrewdness in the administration of her revenues.

THE KING: It weill micht, Sir Robert! We ken she cuts gey close to the bane!

SIR ROBERT: I fear some insult!

THE KING: Ye needna tak offence, Sir Robert! Ye hae juist as muckle as said that I canna look efter my rents! And ye may feign astonishment at this blaggard's impiddence, and talk aboot yer royal mistress's amazement, but I'll hae ye understaun that I hae my douts aboot baith her and yer ain guidwill in the maitter. Bothwell here gaed ower the Border whan he was first put to the horn!† He was alloued by yer royal mistress to gang skaithless! Is it richt, Sir Robert, for ae country to harbour anither's ootlaws?

SIR ROBERT: (Uneasily) Your Majesty.

THE KING: Ye needna stert to hum and haw! Weill ye ken the deil was gien encouragement! I whiles woner if he wasna gien siller tae, for he keeps a bonnie band o airmed reivers weill filled wi meat and drink! I tell ye, Sir Robert, I winna staun it muckle langer! Yer royal mistress lets on to be freindly, but if aa the help she can gie me against traitors is to hae ye comin in crawin aboot the devotion o her English subjects I'll look for an alliance to some ither country!

SIR ROBERT: Your Majesty!

THE KING: I will, I tell ye! I'm a Protestant! I staun for Episcopacy!† But suner nor hae my country dividit into factions and wastit wi feids I'll look for help to Spain and my Papist Lords!

MELVILLE: Yer Grace!

THE KING: Haud ye yer tongue! Sir Robert, what hae ye to say to that?

SIR ROBERT: I would ask, your Majesty, if such an alliance would be acceptable to your subjects. (*Cunningly*) Must I remind you of your present situation?

THE KING: (*As if deflated*) Deed, Sir Robert, ye're richt. I had forgotten. I was cairrit awa.

SIR ROBERT: Your Majesty, your outburst is forgiven. It was due, no doubt to your eagerness to excel in argument.

THE KING: Ye're richt again. I aye let my tongue rin awa wi me. Sir Robert, ye winna mention my lapse to her Majesty?

SIR ROBERT: You may rely on my discretion.

THE KING: Thank ye, Sir Robert. (*With a change of manner*) Weill, we haena gotten muckle faurer forrit.

SIR ROBERT: Your Majesty, if you will advise me of the matter in which you seek my guidance, I shall do what I can.

THE KING: Weill, Sir Robert, ye ken what happened a fortnicht syne. I was set on by Bothwell and ane o his ootlawed freinds and the ither Lords stude bye them. Efter they had threatent me wi daith they brocht in the Bailies and the Preachers. I had to promise this blaggard his paurdon for treason gin he was acquitit for witchcraft.

BOTHWELL: Ye promised to avenge the murder o the Bonnie Earl and hound doun the Papists for the Spanish plots!

SIR ROBERT: (*Soothingly*) My Lord, may I speak with his Majesty?

(BOTHWELL *and* SIR ROBERT *eye each other keenly.*)

BOTHWELL: Very weill, Sir Robert.

SIR ROBERT: Your Majesty, I fail as yet to see the point at issue. You do intend, of course, to keep your promise?

THE KING: What wey should I? It was extortit!

SIR ROBERT: I sympathise. Your position was unfortunate. But your promise was given, and before representatives of your governing assembly. It will be to your credit to fulfil it.

THE KING: Nae dout, Sir Robert. Nae dout. But Bothwell promised to leave the Coort!

LENNOX: And he threatens to bide!

SIR ROBERT: My Lord!

BOTHWELL: The agreement hasna been signed yet! His Grace was for fleein to Falkland the nicht withoot haein dune it!

SIR ROBERT: But surely, my Lord, you can rely on your King's honour?

BOTHWELL: He had written to Huntly and Hume!

THE KING: I had to dae something to win my freedom! I wasna gaun to let the blaggard haud me aye in his pouer! Sir Robert, it was my last resort. I wadna hae dune it gin he had left me alane.

SIR ROBERT: (Soothingly) Your Majesty, I understand. My Lord Bothwell, your promise to leave the Court was no doubt witnessed by others?

THE KING: It was witnessed by the Lords here praisent!

SIR ROBERT: (Airily) Then, your Majesty, my Lords, there is no difficulty. Let all the promises be kept.

BOTHWELL: Gin I leave the Coort, I tell ye, they'll aa turn against me! I'll be put to the horn again!†

SIR ROBERT: My Lord Bothwell, you must be content with his Majesty's assurance, given before witnesses, that your pardon will not be overlooked. No other course can be entertained. Your continued presence at his Majesty's Court will be distasteful to the Queen my mistress, who will lend his Majesty whatever support may be necessary for the enforcement of your obedience.

(He eyes BOTHWELL meaningly.)

BOTHWELL: (Bowing) Very weill, Sir Robert. We dinna daur offend her Majesty o England.

(*The* KING *stares in turn at* BOTHWELL *and* SIR ROBERT, *puzzled, then exchanges a knowing look with* SIR JAMES MELVILLE.)

SIR ROBERT: The matter, your Majesty would appear to be settled, but if I may take the liberty to make a suggestion it is that at a more convenient hour you should summon to your Court the magistrates and clergymen who were present on the occasion of your surprise, put the agreement then projected into writing, and append the necessary signatures. That, no doubt, would allay my Lord Bothwell's fears for his freedom and property.

THE KING: Sir Robert, it sall be dune. And I thank ye wi aa my hairt for yer intervention.

SIR ROBERT: (*Bowing*) Your Majesty, whilst you are the ally of the Queen my mistress to serve you is my duty.

MELVILLE: If I may be permittit to speak, yer Grace, I suld like to say to Sir Robert that neir in aa my lang experience o coorts and diplomats hae I seen sic a taiglet* situation strauchtent oot wi sic economy o effort. Sir Robert, it was maisterly.†

SIR ROBERT: Such praise from one so renowned in the art of diplomacy, Sir James, affords me profound gratification. But the hour is yet early, and I would fain to my slumber. Most Gracious Sovereign, I take my leave.

(*He kisses the* KING's *hand.*)

THE KING: I hope ye sleep weill, Sir Robert. I could dae wi my bed mysell.

SIR ROBERT: (*Bowing towards* LENNOX) My Lords. (*Bowing to* SIR JAMES) Sir James. (*Turning to bow to the company in general when he reaches the door*) Farewell.

THE KING: Atholl, tak the lantern and show Sir Robert oot.

(ATHOLL *lifts the lantern from the table and opens the door.*)

SIR ROBERT: (*Bowing*) My Lord, I thank you.

(ATHOLL *bows in reply and follows* SIR ROBERT *out. The*

97

Lords *stand silent, regarding* BOTHWELL *curiously.*)

THE KING: Francie, ye may tak yer leave.

BOTHWELL: (*Who has been staring sullenly at the door since the moment of* SIR ROBERT'S *departure*) By God, the lot o ye, ye'll hear mair o this!

(*He marches out.*)

THE KING: (*Almost gleefully*) Oho, did ye hear him? Did ye see his face? Did ye watch him wi Sir Robert? There was something atween thae twa! There was, I tell ye! The blaggard's in English pey! Whan eir Sir Robert gied him a glower he was as meek as a mouss! I see it aa! I see it aa nou! My Lords, ye hae been gulled! Yer haill plot against me was an English trap! They hae gotten juist what they wantit, the Papists banisht frae the Coort and the Kirk brocht in at the back door!

LENNOX: The English had naething to dae wi't!

THE KING: Man, Lodovick, can ye see nae faurer nor the peynt o yer neb! What gart Bothwell lie sae low when Sir Robert put him in his place? Was it like him? Dae ye think for a meenit that gin he hadna dependit on Sir Robert's pooch he wad hae stude there helpless? Did ye no hear what he said? "We dinna daur offend her Majesty o England." What wey that? Ye ken the blaggard wad daur gey near onything! Has he no daured baith God and the Deil wi his treason and witch-craft? There's but ae thing he wadna daur, I tell ye, and that's to be in want o siller!

MELVILLE: Yer Grace, there's mebbe something in what ye say, but ye suldna hae threatent Sir Robert wi a Spanish alliance!

THE KING: What wey no? That's what gart him come doun aff his midden tap and stert to the business in haund! Sir Jamie, ye may think he was clever, but he was dancin to my tune aa the time! I telt ye he wadna daur tak the blaggard's side! That was the wey I sent ye for him!†

MELVILLE: I thocht it was for something else, yer Grace.

THE KING: (*Momentarily crestfallen*) God, I forgot. (*Rallying quickly*) But that can keep. I won the peynt at issue. I did, I tell ye. (*Turning quickly to the Lords*) My Lords, are ye pleased wi yersells? It maun gie ye great satisfaction to ken that whan ye thocht ye were savin yer King frae the consequences o his ain folly ye were daein the English will!

OCHILTREE: English or no, yer Grace, it was oor ain will tae!

THE KING: Sae ye think ye hae won what ye want? Ye think that ance I'm redd o Bothwell I'll juist dae what Sir Robert orders? We'll see, my Lords. We'll see. Yer agreement'll hae to be ratified by a Convention o the Three Estates. Dae ye think it michtna be cancelled?

MELVILLE: (*About to start a homily*) Yer Grace—

THE KING: (*Continuing rapidly*) What wey no? It'll be cancelled as faur as Bothwell's concerned, or I'm dune wi the lot o ye! I hae ye sortit tae, I tell ye! There isna ane o ye that wants Bothwell to bide, and whan he gangs I hae ye back whaur ye startit!

OCHILTREE: Yer Grace, if I hae to sign the agreement the morn I'll tak my leave. I hae my conscience to think o.

(*He bows stiffly and walks to the door.*)

THE KING: Come back! (OCHILTREE *turns*) Sae ye're gaun to Bothwell?

OCHILTREE: That will depend, yer Grace, on hou ye keep yer word.

(*He bows again. The* KING *speaks as he leaves.*)

THE KING: Awa ye upstert! (*Whimsically*) But there's something likeable aboot Ochiltree tae, mind ye.†

MELVILLE: Yer Grace, he's neir been kent to brek a promise, yet he's but a Lord, and ye're a King. And was it no the renowned Isocrates himsell wha said, "Princes suld observe their promises, mair nor ither men their solemn aiths"?

THE KING: Ye auld humbug, that was in a letter I ance gat frae the English Queen!

MELVILLE: It was apt, yer Grace, sae I thocht I wad quote it.

THE KING: Apt, say ye! It was impiddent! I tell ye, Sir Jamie, ye're ower fond o moralisin at my expense! Ten meenits o ye's juist aboot as bad as hauf an hour wi ane o the Preachers.

MELVILLE: Yer Grace, I regret my offence, but there's anither remark o Isocrates' to the effect—

THE KING: Ay ay, Sir Jamie. "Dinna repute them freinds wha praise what eir we dae, but raither thae wha modestly rebuke oor fauts."† Ye're aye at that ane. Awa to yer bed wi ye! Ye're ower auld to be staunin aboot wi haurdly ony claes on. And whan I think o't, I'll mak ready mysell.

(He starts to take off his boots.)

MELVILLE: (*Bowing*) Guid nicht, yer Grace.

THE KING: Ye mean guid mornin. It'll sune be fower o'clock.

MELVILLE: Yer Grace, ye aye hae the last word (*Bowing again*) Guid mornin.

(He leaves. The KING *starts to take off his clothes and makes towards his dressing-closet.* MORTON *steps forward.)*

MORTON: Weill, yer Grace, I'll tak my leave tae.

THE KING: (*Turning*) Na, Morton, haud on. I want a word wi ye. (*Retreating as he speaks into the closet*) Lodovick, there's something else I had forgotten. Ye micht fin Spynie and tell him to see that his gaird daesna ill-use Lesley or Ogilvy or the three Erskines. Tell him they maun hae their freedom.

LENNOX: Very weill, yer Grace (*He stands quickly aside, to be out of the* KING'*s view, and motions to* MORTON. MORTON *joins him*) Morton, he'll be speirin at ye. Watch what ye say.

*(*MORTON *nods.* LENNOX *leaves.)*

THE KING: (*From the closet*) Ye micht pou doun the claes, Morton, and draw the curtains.

*(*MORTON *arranges the* KING'*s bed, drawing the hangings around it except on the side near the fire. The* KING *enters in his nightshirt.)*

THE KING: (*Secretively*) Did Lodovick steik* the door?

MORTON: (*Looking*) Na.

THE KING: Dae it nou then. (MORTON *closes the door and returns to the* KING, *who has seated himself in the chair by the bed*) My Lord, I'm sair bothert aboot yer dochter. Ye see, the lass took my fancy. She was sae fresh and winsome and sae keen to learn, and weill, ye ken hou I like to haver awa† aboot the ancient mythologies and the auld pagan gods and siclike, and ye ken hou little interest yersell and the ithers hae in maitters like that, save for Sir Jamie, and he aye likes to dae the talkin himsell.

MORTON: I ken, yer Grace.

THE KING: Weill, her Grace has been steerin up bother. She has a gey jealous disposeetion, ye see, and she's inclined to let her imagination rin awa wi her. I dout, my Lord, it'll be better for yer dochter's sake if ye tak yer awa, though, mind ye, my Lord, I'll aye tak an interest in her. (*Eagerly*) I'll see her weill endowed. There'll be some grun gaun whan this steer's bye, for that deil Atholl needs his wings clippit, and weill, a nod's as guid as a wink to a blin horse. My Lord, ye'll hae it dune? I'll sairly miss her, but she wad hae nae pleisure here.

MORTON: (*Bowing*) Very weill, yer Grace, it sall be dune. Sall I shut ye in and blaw oot the caunles?

THE KING: (*Slipping into bed*) Ye micht, my Lord.

(MORTON *closes the hangings and blows out the candles.*)

MORTON: Are ye aa richt, then?

THE KING: Cauld a wee, but I'll sune warm up. Guid mornin, my Lord.

MORTON: Guid mornin, yer Grace.

(*He goes out and shuts the door. The chamber is still lit dimly by a faint glow from the fire. Pause. The* KING *suddenly draws aside the hangings, emerges from the bed-clothes and sits on the edge of the bed. He rises and walks to the door of the* QUEEN's *chamber. He opens it. He listens for a moment. He pokes in his head.*)

THE KING: (*Calling urgently*) Annie!

(*He passes through and closes the door.*)

CURTAIN

ACT IV

*The room which was the scene of Act I. The shutters are wide
open, giving a view of the opposite side of the Wynd in the light
of a sunny afternoon in autumn.*

MISTRESS EDWARD *is sitting on a bench at the window, working
on a piece of tapestry attached to a frame.* RAB *appears at the
door behind her, carrying a large earthenware jar, a basket and a
couple of hares. His clothes are soiled with dust and straw. He
puts down his jar and basket and holds up the hares.*

RAB: See what I hae gotten!

MRS E: (*Turning, slightly startled*) Losh, laddie, ye suldna come
creeping up ahint folk's backs like that! Ye gart me jag my
finger! Whaur did ye fin thae?

RAB: Doun on the Muir. They loupit oot whan the men were
scythin the corn. I gat the tane wi a stane and the tither wi a
stick. Feel their hin legs. They're burstin wi flaish.

MRS E: Ay, they're braw anes. Ye maun hae been gey quick.

RAB: Quick! Dae ye see that ane? That's whaur the stane gat
it, at sax yairds and it loupin for its very life!

MRS E: Yer stane's made an unco mark.

RAB: It gart it rowe* alang the grun like a cairt wheel! And see
this ane. There's whaur I gat it wi the stick. I gied ae breinge*
and clapt it on the mooth!

MRS E: Ye haena left mony o its teeth in.

RAB: Wha'll want its teeth? It's the flaish on its banes that
maitters.

MRS E: Ay ay. Haud them awa though. I dinna want my claes

aa bluid. Had the men their fill o yill* and bannock?

RAB: There was plenty o bannock, but the yill sune gaed. It's gey drouthy wark, it seems, wi the stour in their thrapples. Auld Tam frae the stable says his tongue's like leather.

MRS E: It's been like that sin eir I mind. Awa to the kitchen wi yer things and syne back til the booth.

RAB: Ay (*Picking up his jar and basket*) Mistress Edward, dae ye think I'll be alloued oot airly the nicht?

MRS E: What dae ye want oot airly for?

RAB: Twa o Bothwell's men hae been brocht to the Nether Tolbooth for makin coonterfeit siller.* Their hoose was fou o thirty shillin pieces that they'd struck oot o souther.*

MRS E: Dear me, they'll catch it for that. Wha are they?

RAB: Johnstones, o a Border clan. They were brocht in by some o the Maxwells.† They're to be hurlt through the Toun tied to the wheels o a cairt, and syne hangit on the Castle Hill. Dae ye think I'll be alloued oot in time to see it?

MRS E: Nou Rab, ye needna ask me that. Ye'll hae to hear what yer maister says.

(NICOLL *enters as she speaks.*)

NICOLL: What's this?

MRS E: He wants oot in time to see a hangin.

RAB: The twa men o Bothwell's that struck siller oot o souther. They're to be hurlt* through the Toun.

NICOLL: We'll see. We'll see. Were ye oot at the hairst?

RAB: Ay.

NICOLL: And hou's it gaun?

RAB: They were scythin the last rig whan I cam awa.

NICOLL: Is aa that's cut stookit?

RAB: Ay.

NICOLL: Grand. The wather can dae what it likes nou. Weill, lad, ye can tak yer supper in yer pooch and gang to the hangin whan the booth's lockit. And let it be a lesson to ye neir to wrang yer maister be he King, Lord, or Toun Merchant. Whaur did ye fin thae hares?

RAB: At the hairst.

MRS E: He gat the tane wi a stane and the tither wi a stick.

NICOLL: Grand. Tell the lassies to gie ye a dram.

MRS E: Nou, Nicoll.

NICOLL: Hoots, the lad desairves it. Awa wi ye.

(RAB *leaves.*)

MRS E: Sae Bothwell's up to his tricks again?

NICOLL: Ay, but he's gaen ower faur this time. He'll hae nae sympathy nou. Gin ilka body wi a toom pooch were to stert makin his ain siller there wad be nae profit in tred at aa.

MRS E: I suld think no. And that's the man the Preachers are sae fond o. I dinna understaun them at aa.

NICOLL: Wait. I'll let them ken what I think o them. Maister Bruce is comin up in a wee while to hae a talk aboot raisin siller for the raid against the Papists. Aa the Preachers want his Grace to stert it afore the winter comes on, and his Grace aye puts them aff by saying he canna afford to pey for the sodgers. I dout they want me to mak him anither advance.

MRS E: Weill, Nicoll, I wadna dae it.

NICOLL: Dinna fear. I'll watch mysell.

MRS E: Weill, watch yersell. Ye're aye ower saft.

(RAB *enters suddenly.*)

RAB: Guess wha's here!

MRS E: Wha?

RAB: Her Grace, wi the Laird Logie and the Danish leddy!

MRS E: Oh dear me, and I'm sic a sicht! O Nicoll! Oh what'll I dae?

NICOLL: Tach, wumman, ye're aa richt. Fetch them up, Rab.

(RAB *leaves hurriedly, and* NICOLL *goes to the door.* MISTRESS EDWARD *pushes the tapestry aside, straightens her dress, pats her hair and prepares to cursty.*)

NICOLL: (*At the door*) Weill, weill, weill. (*The* QUEEN *appears with* LOGIE *and* MARGARET VINSTAR *behind her*) Come awa in yer Grace. Sae ye're back frae Stirlin?

(*The three enter. Appropriate bows, bobs and curtsies, some of them during the ensuing dialogue.*)

MRS E: Yer Grace, this *is* a surprise!

THE QUEEN: We thocht we wad caa in for a meenit in the passin. We canna bide lang. We shanna sit. But ye are pleased to see us, eh?

MRS E: Yer Grace, ye hae dune us an honour.

NICOLL: Ye hae that.

MRS E: And my Leddy Vinstar.

THE QUEEN: Na na, Vinstar nae mair!†

MRS E: Oh I forgot!

NICOLL: Ay, Laird, sae ye brak oot ae jeyl and landit yersell in anither.

MRS E: What things men say! Dinna heed him, Leddy Margaret. But I thocht, weill, ye se—

THE QUEEN: Ye woner to see them back at Coort, eh?

MRS E: Ay weill, I thocht the Laird wad still be in his Grace's black books.

THE QUEEN: Na na. I missed my Margaret and wantit her back, sae I twistit him roun my finger. Logie is paurdont.

MRS E: I'm gled to hear it. Laird, did we no lauch the nicht ye won doun ower the jeyl winnock.† We wonert what wad happen to my Leddy Margaret, though, for smugglin in the towe raip,* and whan we heard that she had rin awa to jeyn ye we gey near rived oor ribs. Was his Grace no gey angert?

THE QUEEN: He was, gey. But whan he gat redd o Bothwell and wantit the Chancellor back at the Coort I said no. I said that gin he didna allou Margaret back wi her Logie he wad hae nae Chancellor. And what could he say?

MRS E: And the Chancellor's back? Times hae cheynged, eh?

THE QUEEN: Mistress Edward, it is different aathegither. There is haurdly an auld face left. Atholl is put to the horn, Ochiltree is oot wi Bothwell, and Spynie is in jeyl, puir man. Logie has been gey luckie.

NICOLL: He has that.

THE QUEEN: Weill, ye see, he mairrit my Margaret, and the rest didna. But the Chancellor, Mistress Edward, ye suld see. He is a cheynged man. He licks my shune like a dug. And he taks pains.

MRS E: Pains?

THE QUEEN: Ay, and they are gey sair. He will talk and talk and then, aa at ance, he will twist his face and girn and haud his back. Puir man, I feel sorry, but it gars me lauch.

NICOLL: I suld think sae.

THE QUEEN: Ay. Jamie his Grace says it is the judgement o the Lord on him for his wickedness.

MRS E: I daursay, for he was a bad ane. But ye haena said onything yet aboot the big event in yer ain life.

THE QUEEN: (Coyly) Ah, Mistress Edward, haud yer tongue.

MRS E: Is the young Prince keepin weill. What is he like?

THE QUEEN: Ah weill (shrugging humorously) he is like his faither.

MRS E: (Forgetting herself) Aw. (Recovering) But ye had a grand christenin.† We had a wild day o't in the Toun here. Aa the prentice laddies were dressed up like heathens, wi their faces blackent and feathers in their bannets, and we had ballad-singers and jougglers and tummlers and aa sorts, and ye suld hae seen the bane-fires at nicht. They were bleizin frae aa the hill-taps like staurs in the lift.* It was a sair day for the Preachers. They werena pleased.

THE QUEEN: Huh! The Preachers! They made a sang at Stirlin tae. They were flytin at* the Lords for dressin up in weemen's claes.

MRS E: They hate to see folk enjoyin themsells.

THE QUEEN: Ye are richt. They wad hae us aye wi lang faces. They say we are ower licht-hairtit at the Coort, and that we maun hae lang prayers mornin and nicht, and lang graces afore and efter meat. They say it in their kirks to the rabble. It is gaun ower the mark.

NICOLL: Weill, yer Grace, I wadna heed them.

THE QUEEN: Naither I dae. I gang my ain wey.

MRS E: Ye're quite richt, yer Grace. I hear the young Prince gat some gey grand praisents.†

THE QUEEN: (*Brightening*) Oh Mistress Edward, it wad hae taen awa yer braith. Frae the States o Holland there was a gowden box, and inside, written in gowden letters, a promise to pey the young Prince a yearly pension o a thoosand guilders.

MRS E: A thoosand guilders! Dear me.

THE QUEEN: It is a lot. And gowden cups! Oh Mistress Edward, the wecht! Sir James Melville stude aside me to tak the heavy things, and he could hardly haud them. And there were precious stanes frae my ain country, and mair gowden cups, and a fancy kist, staunin on legs, frae her Majesty o England.

MRS E: Mercy me, he's a luckie bairn. And he has a gey hantle o titles for ane no oot o his creddle.

THE QUEEN: Titles! What a rigmarole!† I hae it aff by hairt. "The richt excellent, high and magnanimous Frederick Henry, Henry Frederick"—he is caa'd efter my faither ye see, and the faither o her Majesty doun bye, and we hae it baith weys to please everybody—but I am wanert aff—"Frederick Henry, Henry Frederick, by the grace o God Baron o Renfrew, Lord o the Isles, Earl o Carrick, Duke o Rothesay, Prince and Great Steward o Scotland."

MRS E: It's a gey lang screed that.

THE QUEEN: It is ower muckle. I caa him "Wee Henry".

MRS E: (*Laughing*) Aye it'll be a lot mair convenient. But I thocht ye wad hae caa'd him by yer ain faither's name.

THE QUEEN: Na na, we caa him by the English name, for some day he will be English King. But Mistress Edward, we canna bide. We hae to see the Provost. Ye maun come to the Palace, some day sune, and see Wee Henry for yersell.

MRS E: Yer Grace, I'll tak ye at yer word.

THE QUEEN: Dae. We sall be pleased to see ye (*Bobbing*) Bailie, I bid ye guid efternune.

NICOLL: (*Bowing*) Guid efternune, yer Grace. I'm sorry ye canna bide. And I'm sorry his Grace isna wi ye.

THE QUEEN: Huh! *He* is doun the Coogait, at the printers'.

NICOLL: Aye at books yet.

THE QUEEN: Aye at books. (*Bobbing*) Mistress Edward, fare ye weill.

MRS E: (*With a curtsy*) Fare ye weill, yer Grace. (*Bobbing*) And ye, my Leddy. (*Bobbing*) And ye tae, Laird. See and bide oot o jeyl this time.

NICOLL: My Leddy Margaret'll see to that.

LOGIE: (*Bowing*) My wild days are bye nou, Mistress Edward. Guid efternune, Bailie.

NICOLL: I'll come doun.

(*He follows the visitors out.* MISTRESS EDWARD *watches them go, then takes a seat at the window. She sits staring reflectively at her lap, and wipes her eyes as a few tears gather. She rises and looks out of the window. She waves as the* QUEEN *turns into the Wynd. She sits again, giving her eyes another wipe.* NICOLL *enters.*)

NICOLL: What's wrang wi ye?

MRS E: I was haein a wee bit greit.

NICOLL: What aboot?

MRS E: I was juist thinkin.

NICOLL: What?

MRS E: Weill her Grace is sae cantie the nou. I was thinkin what a peety it is that the Lord God haesna seen fit to gie us the blessin o a bairn tae.

NICOLL: Hoot, wumman, think o yer age.

MRS E: Ay, but still.

NICOLL: Tach!

(RAB *enters.*)

RAB: Here's Bailie Morison!

NICOLL: Eh! What daes he want?

RAB: He wants to see ye.

NICOLL: Nae dout. Fetch him up. (RAB *leaves*) He can keep his neb oot o naething. He'll hae heard that I hae Maister Bruce comin up.

MRS E: Watch him, then. I hope he saw her Grace leavin. It'll gie him something to tell his wife.

BAILIE M: (*Outside*) Are ye there, Nicoll?

NICOLL: Ay, Bailie, come in.

(BAILIE MORISON *enters, with* RAB *behind him.*)

MRS E: Guid efternune, Bailie.

BAILIE M: Guid efternune, Mistress Edward.

RAB: Can I gang nou?

NICOLL: Hae ye lockit the booth?

RAB: Ay.

NICOLL: Awa then. (RAB *shoots off.* MISTRESS EDWARD *goes to the awmrie for a bottle and glasses*) Sit doun, Bailie.

MRS E: Ye'll hae a dram?

BAILIE M: Weill ay, I will, thank ye. It's gey drouthy wather. I I saw her Grace leavin the nou.

MRS E: (*Pouring drinks*) Oh ay, she aye taks a rin up if she's onywhaur near.

BAILIE M: Ay, ye seem to be gey weill ben. (*Accepting drink*) Thank ye. Yer guid health.

NICOLL: (*Also served*) Guid health.

MRS E: Thank ye.

(*She bobs and leaves by the dining-room door.*)

BAILIE M: I hear ye hae Maister Bruce comin up?

NICOLL: Ay.

BAILIE M: It'll be aboot siller for the raid against the Papists?†

NICOLL: Ay weill, I canna say ye're wrang.

BAILIE M: And hou dae ye staun?

NICOLL: Weill Bailie, I dout I can dae nae mair. His Grace is ower deep in my debt as it is.

BAILIE M: That's my poseetion tae, in a wey.

NICOLL: In a wey, eh?

BAILIE M: Weill, ye see, I could afford to lend him mair gin he could offer guid security.

NICOLL: Sae could I. But whaur will he fin that?

BAILIE M: Think. Hae ye no heard aboot the christenin praisents that were brocht to the young Prince?

NICOLL: Damn it, Bailie, we canna tak the bairn's christenin praisents!

BAILIE M: I see nae hairm in it.

NICOLL: It isna richt.

BAILIE M: Man, it's oor ae chance o gettin a bawbee o oor siller back. There's eneugh gowd, frae what I hear, to cover baith what he owes us the nou and a new advance as weill. In fact, Nicoll, it wad be a grand stroke o business.

NICOLL: He wadna hear o't.

BAILIE M: Weill—

NICOLL: Na na. Ye ken he's faur frae eager to stert the raid. He jumps at ony excuse that comes to haund. Poverty's as guid a ane as ony.

BAILIE M: Mebbe. And mebbe no. I think the maitter's worth some thocht.

(MISTRESS EDWARD *comes to the door.*)

MRS E: Paurdon me, Bailie. Nicoll, here's Maister Bruce.

NICOLL: Haud on, then. He's aye rantin against self-indulgence. Gie me yer gless, Bailie. (*He lifts the bottle and the two glasses*) Fetch him nou.

(*He hurriedly hides the bottle and glasses as* MISTRESS EDWARD *goes for* BRUCE.)

NICOLL: (*As* BRUCE *appears*) Come in, Maister Bruce. Come in. (MISTRESS EDWARD *retires and closes the door*) I hae Bailie Morison here.

BAILIE M: (*Half rising*) Nicoll, if ye hae business to discuss I had mebbe better leave ye.

BRUCE: My business micht concern ye tae, Bailie, sae dinna leave on my accoont.

NICOLL: Bide still, man. Maister Bruce, will ye sit doun?

BRUCE: (*Sitting*) Thank ye.

NICOLL: It's been grand wather for the hairst.

BAILIE M: Deed ay. I haena seen the Muir wi sic bonnie raws o stooks on't for mony a lang year.

BRUCE: The Lord has filled yer girnels,* Bailie, as a sign and a portent. He wad hae ye return his liberality in the service o His cause.

BAILIE M: Ay?

NICOLL: Hou that, Maister Bruce?

BRUCE: Oor temporal ruler, as ye weill ken, is pledged to haud a raid against the Papist lords, but he says he hasna the siller to pey for the men. That may be the truith, my freinds, and it may no, but gin the siller were brocht forrit he wad hae to stert.†

NICOLL: Ay, Maister Bruce, and what dae ye propose?

BRUCE: Ye'll ken, Bailie, that the Croun has a richt to command men frae ilka Lord, Laird and Burgh in the country, but ye'll ken tae that maist men dinna rise, and that thae wha dae mak a gey scattered force. What I propose is this: that whan it's resolved to haud the raid forrit, and proclamation's made to that effect, ony that want to bide at hame suld be grantit exemption gin they pey for the sodgers to tak their place.

NICOLL: Na, Maister Bruce, it winna dae. The kind that dinna rise when there's a proclamation are juist the very kind that tak a lang time to pey their debts. The winter wad be on lang afore the siller was collectit.

BRUCE: I had thocht, Bailie, that wi this ither siller as security, an advance micht be made to the Croun at ance.

NICOLL: Na.

BAILIE M: Na.

BRUCE: Think weill, my freinds, afore ye harden yer hairts. The cause I ask ye to serve is the cause o the Kirk, and gin ye dinna serve it weill ye canna prosper. For hasna the Lord said, "If ye walk contrar unto me I sall walk contrar unto ye also. I will lay bare yer fields, and mak yer cities waste, and bring the haill land unto desolation"?†

NICOLL: Ay ay, Maister Bruce, but we arena in the Kirk the nou.

This is a maitter o business. Ye ask us to mak an advance to the Croun, but the Croun's gey deep in oor debt as it is, and the security ye offer is worth naething. Hauf o the siller ye talk aboot wadna be peyed unless a body o airmed men was sent oot to fetch it.

BAILIE M: And I dout if the ither half wad pey the Croun's praisent debts.

NICOLL: It canna be dune, Maister Bruce.

BAILIE M: Weill, Nicoll, I wadna say that. There micht be some ither wey.

NICOLL: There's nae ither wey, I tell ye. The poseetion's hopeless frae the stert. If his Grace had his hairt in the raid it wad be a different maitter, but ye ken hou he led the last ane. When eir he gat near the Papists he pitched his camp till they had time to retreat, and the Hielands are braid enough to let that sort o ploy gang on for years. The haill truith o the maitter is, Maister Bruce, that he winna lead the raid wi ony hairt till he has houndit doun Bothwell, and that ye winna let him dae.

BRUCE: He can dae that whan he has first served God and the Kirk! Bothwell's soond in his releegion!

(*There is a faint commotion from far beyond the window.*)

NICOLL: He has nae scruples whaur siller's concerned. Listen to that! Twa o his men are bein hurlt through the Toun for makin coonterfeit thirty shillin pieces!

BRUCE: It's anither o the Chancellor's fause chairges! Bothwell has naething to dae wi the men!

BAILIE M: What's that!

(RAB *can be heard on the staircase shouting* "Bailie Edward! Maister!")

NICOLL: It's Rab!

(RAB *enters breathlessly.*)

RAB: There's a fecht on at the Nether Bow Port! Johnstones and Maxwells! The Johnstones raidit the Nether Tolbooth to let their twa freinds oot, and the Maxwells that brocht them in cam doun the Hie Gait to stop it! The Toun Gaird's tryin to clear the causey!

NICOLL: Guid God! Help me on wi my gear, Rab!

(NICOLL *and* RAB *hurry out through the dining-room door.* BAILIE MORISON *goes to the window. The commotion grows.*)

BAILIE M: Here's his Grace, fleein for his life, wi the Chancellor pechin ahint him! (BRUCE *goes over beside him*) I believe he's comin here!

(MISTRESS EDWARD *enters from the dining-room.*)

MRS E: What's aa the steer? I'm shair Nicoll daesna hae to gang fechtin! He'll be slauchtert! It isna richt!

(*The* KING *is heard on the staircase shouting* "Nicoll Edward! Nicoll, ye deil!")

BAILIE M: It's his Grace.

(*The* KING *enters in disarray.*)

THE KING: Mistress Edward, gie me a dram! I hae been gey near shot doun, hackit to bits, and staned to daith!

(MISTRESS EDWARD *hastens to pour him a drink.* NICOLL *appears at dining-room door, strapping on his gear.*)

NICOLL: What's wrang, yer Grace?

THE KING: What's wrang! Yer Toun isna safe! That's what's wrang! It's fou o Border reivers fleein at ilk ither's throats!

RAB: (*Coming in behind* NICOLL *with his pistols*) It's the Johnstones, yer Grace! They were tryin to brek doun the doors o the Nether Tolbooth and let oot Bothwell's twa men!

THE KING: Bothwell! I micht hae kent it! There'll be nae peace in the country till the blaggard's ablow the grun! (*Accepting a glass from* MISTRESS EDWARD) Thank ye, Mistress Edward. (*The* CHANCELLOR *appears at the door, breathing heavily*) Ay, Jock, come in and sit doun. Gie him a dram tae, guid wumman, for he's worn oot.

(MAITLAND *slumps into a chair, and* MISTRESS EDWARD *goes to fetch him a drink. The Town bell begins to ring.*)

NICOLL: (*Completing his preparations*) There's the Town Bell, thank God. It'll bring the men up frae the hairst. Hurry oot, Rab. Bailie Morison, dinna staun there gawpin. Come on hame for yer gear.

MRS E: Oh Nicoll, watch yersell.

NICOLL: (*Leaving quickly*) Ay ay.

(RAB *and* BAILIE MORISON *follow him out.*)

MRS E: (*Dabbing her eyes*) Oh I hope he'll be aa richt.

THE KING: Ay ay, Mistress, he'll be aa richt. He's as strang as a bull. Are ye comin roun, Jock?

MAITLAND: (*Busy with his glass*) Gie me time.

MRS E: (*Suddenly remembering*) Her Grace was here no lang syne. I woner if she'll be aa richt.

THE KING: Her Grace, eh? Whaur did she gang?

MRS E: She left to gang to the Provost's.

THE KING: There's nae need to worry then. The fechtin's aa ablow the Tron.

MRS E: I think I'll gang up to the mooth o the Wynd and hae a look, though. It micht be better.

THE KING: Watch yersell, then.

MRS E: Ay, ay.

(*She goes out in a state of agitation.*)

THE KING: Weill, Maister Bruce, what are ye staunin glowerin at? Can the like o ye dae naething? Or are ye sae thick wi Bothwell that ye want his freinds to win?

BRUCE: Ye hae nae richt to blame Bothwell! Ye hae nae prufe that the men are his!

THE KING: Havers! The Johnstones were aye ahint him. They were in his gaird whan he held the Palace last year, and they were alang wi him in the spring whan he cam wi Ochiltree to Edmonstone Edge. Gin it hadna been for my Lord Hume he micht hae marched them on the palace again. And that's the man ye try to shield.†

BRUCE: I try to defend him frae the persecution o his enemies! He was first put to the horn on a fause chairge, and whan he was adjudged guiltless, he gat nae remission! And that in spite o yer promise, written by yer ain haund, that he wad be shown sic favour as if he had neir offendit!

THE KING: My promise was cancelled by the Three Estates! And he has little to complain o, the Lord kens. For a man wha's committit sae mony treasons he's been gey weill used. He was paurdont. He was to be alloued to draw his rents. Aa that was askit was that he suld leave the country!

BRUCE: He left the country! He gaed to England!

THE KING: To lie low and plot anither raid! Ye talk aboot brekin promises, Maister Bruce, but if Bothwell has his match in the haill o Christendom he'll be gey ill to fin!

BRUCE: His match is praisent in this very room!

THE KING: Jock! Did ye hear that?

MAITLAND: Gin I werena auld and dune I wad split his croun!

BRUCE: I spak the truith, Maitland, as weill ye ken! Didna the King promise that ye and Hume suld be keepit frae the Coort?

THE KING: Guid God, ye canna object to Jock here! He's a dune auld man.

BRUCE: And Hume? Is he dune?

THE KING: Ye ken he's convertit!† I argued him roun mysell. He's as guid a Protestant as there is in the country.

BRUCE: He's like aa the ithers ye hae aboot ye, a hypocrite that wad raither ye spent the revenues o the Croun on his ain profligate pleisures nor in the service o God's Kirk! But I tell ye, Jamie Stewart, King though ye be, that gin ye dinna rouse yersell to dae the wark that the Lord has committit to yer haund, the Kirk sall rise in its strength and act withoot ye!

THE KING: The Kirk'll dae what it's alloued to dae, and nae mair. I'm aye its heid yet!

BRUCE: The Lord is its heid, and ye are but a member, and gin ye hinder its wark ye sall be weedit oot!

THE KING: Ye canna weed me oot aither! There can be nae excommunications withoot my consent! And as for the Papist raid ye canna grummle. I hae promised to stert it whan eir I can fin the siller.

BRUCE: The want o siller's an excuse! Ye ken that gin the folk o the Burghs wad rise to support ye ye wad be for fleein at Bothwell's throat at ance! Ye wad sune fin the siller for that!

THE KING: By God I wish I could! I wad sune fin the men, ay though ye thumpit the brods* o yer pulpits till they brak into bits! Rant against me hou ye like, uphaud Bothwell as muckle as ye will, gin I ance fin the siller I'll hound the blaggard doun!

BRUCE: Ye little ken the pouer o the Kirk! There isna a man i' the haill country that wad daur follow ye against the will o the Preachers!

THE KING: The will o the Preachers! Siller's a mair potent motive nor the fear o hell!

BRUCE: Nae dout, amang the unbelievers at the Coort, but I tell ye that to the congregations o the Kirk the will o the Preachers is the will o God! Tak warnin afore it be ower late! Gin ye delay ower lang wi the raid against the Papists the Kirk itsell sall summon the godly to the fecht! Frae ilka pulpit in the country the cry sall gang forth, that the hour appeyntit has come at last, and the sword o the Lord is to be girdit on!

THE KING: Huh! They'd look a bonnie lot! Eh, Jock can ye see them? (MAITLAND *snorts*) Weill I ken what they'd be like, Maister Bruce: a rabble o puir gowks airmed wi heuks.* And nae dout yersell and Andrew Melville wad lead them?

BRUCE: They wad be led by my Lord Bothwell!†

THE KING: Oho, ye deil!

MAITLAND: (*Pushing back his chair and gripping his hilt*) Watch what ye say, sir! Yer words micht cost ye dear!

BRUCE: Ye daurna touch me, and ye ken it! The folk o the Toun wad stane ye!

MAITLAND: (*Stepping forward and drawing*) I wad tak the risk!

BRUCE: Tak it, and may the Lord accurse ye! May aa the maledictions that fell upon Judas, Pilate, Herod and the Jews, aa

the troubles that fell upon the city o Jerusalem, aa the plagues
and pestilences that ever—

(*He breaks off, as* MAITLAND *seems suddenly to be seized
with pain. The Town bell stops ringing.*)

MAITLAND: (*Writhing back into his chair and dropping his
sword*) Oh. Oh. Oh.

(*The* KING *and* BRUCE *stare at him in amazement.* MISTRESS
EDWARD *enters hurriedly from the staircase.*)

MRS E: Yer Grace! (*Noticing* MAITLAND) Guidness gracious,
what's wrang!
THE KING: That deil's been cursin Jock. It's brocht on his pains.
MRS E: (*Reproachfully*) Oh, Maister Bruce.
THE KING: I'll hae him tried for witchcraft! Leave him. He'll
sune come roun. Sit up, Jock and tak anither moothfou. That's
richt. Are ye feelin better?
MAITLAND: Gie me time.
MRS E: Yer Grace, my Lord Lennox and Nicoll are bringin a man
doun the Wynd.
HE KING: A man, eh?
MRS E: Ay, by the scruff o the neck. Here they are nou.

(*They look to the door.* LENNOX *enters.*)

LENNOX: (*To* NICOLL *outside*) Bring him in, Nicoll.
(NICOLL *enters leading a stranger by the shoulder.* LENNOX
steps forward and hands the KING *a letter*) Yer Grace, hae a
look at that.
THE KING: (*Indicating the stranger*) Wha's this?
LENNOX: It's Sir Robert Bowes' new English servant.
THE KING: And what's this? Whaur did ye fin it?
LENNOX: I was in the Hie Gait when the steer stertit. Juist when
it was at its heicht a man made to ride up the Toun frae the
Black Friar's Wynd and was dung* aff his horse by a stray
shot. This man ran forrit and rypit* his pooches. It was that
he was efter, for whan eir he fand it he made to rin awa.

118

THE KING: (*Unrolling it*) Is it a letter?

LENNOX: It's blank!

THE KING: Oho! No a word on it! Conspeeracy! Weill weill, we hae dealt wi blanks afore.† Mistress Edward, rin ben to the kitchen and fetch a bit o flannel and a hot airn. Hurry! We'll sune see what's at the bottom o this. (MISTRESS EDWARD *hurries out by the dining-room door. To the stranger*) Ay ay, my man, sae ye hae been foun wi a secret document in yer possession? Pou him forrit, Nicoll, and put yer sword to his hin end. (NICOLL *obeys*) Was this letter for Sir Robert Bowes? (*Silence*) Was it, I'm askin? Nicoll, gar him speak.

NICOLL: (*Jabbing the stranger*) Answer whan ye're telt!

STRANGER: (*Turning on him indignantly, and speaking with a Cockney accent as remote from the speech of* SIR ROBERT BOWES *as* RAB's *Edinburgh sing-song is from the speech of* SIR JAMES MELVILLE) Avaunt, thou pock-faced villain, sheathe thy sword! I know not what thy master asketh!

THE KING: What is he sayin? Tak him by the collar!

(NICOLL *obeys*.)

STRANGER: Unhand me or I'll kick thy paunch, thou bottled-nosed bully!

THE KING: Jab him again, Nicoll!

(NICOLL *obeys*.)

STRANGER: Oh!

NICOLL: Staun at peace, see!

STRANGER: Peace! God's light if this be peace! Call for my master!

THE KING: He said something about his maister! I'll try him in English. Listen, my man. Art thou the servant of Sir Robert Bowes?

STRANGER: He is my master! Call him here!

THE KING: Ay ay, but listen. Did Sir Robert Bowes send thee to obtain this letter?†

STRANGER: Thy scurvy dog of a servant choketh me!

THE KING: Eh? What is he sayin, Jock?

MAITLAND: It bates me.

THE KING: Listen again. Did Sir Robert Bowes send thee to obtain this letter?

STRANGER: He is my master!

MAITLAND: Maister! It's aa he can think o!

THE KING: He's donnart!* Letter, my man! Letter! Dae ye no ken what letter means? Dost thou see this letter?

STRANGER: How can I see? He has me by the throat! Order thy varlet off!

THE KING: It's hopeless. I wish Sir Jamie Melville was here. He kens aa their tongues.

LENNOX: He's at Halhill the nou.

THE KING: He's aye awa whan he's maist needit. But we'll persevere. We'll tak him word by word. Dae ye hear? Dost thou hear? We shall speak each word separately. Dost thou understand letter?

STRANGER: Call for my master! He will tell thee all!

MAITLAND: Maister again!

THE KING: We're at letter the nou, no maister! I'm haudin it up! Look at it!

STRANGER: I know not what thou sayest!

THE KING: What was that?

MAITLAND: I didna catch it.

THE KING: Can ye no speak ae word at a time?

MAITLAND: Say it in English.

THE KING: Ay ay, I forgot. Canst thou not speak each word separately?

STRANGER: God grant me patience! Dost thou not follow Master? Master, thou addle-pate! Master!

THE KING: Guid God!

MAITLAND: He's at it yet!

THE KING: I dinna like his mainner, aither.

MAITLAND: Naither dae I. Put him in the jougs.

THE KING: Dae ye ken what the jougs* are? Dae ye ken what the rack is? Dost thou understand gallows?

STRANGER: Call for my master!

THE KING: Guid God Almichty! Tak him oot and droun him!

MAITLAND: Put him in the jougs!

THE KING: And fetch his maister! We'll see what he has to say! Dinna say what we're efter, though. We'll tak him by surprise.

NICOLL: Aa richt, yer Grace. (*Dragging the* STRANGER *out*) Come on, see.

STRANGER: Call for my master! Call for my master! (*Turning his attention from the* KING *to* NICOLL) Oh thou lousy, damned, abominable rogue!

NICOLL: Haud yer tongue or I'll clowt ye!

(*He bundles the* STRANGER *out by the staircase door.* MISTRESS EDWARD *enters from the dining-room with a piece of flannel and a hot iron.*)

MRS E: Here ye are, yer Grace. I was as quick as I could manage.

THE KING: Ye haena been lang. Gie me the flannel. We'll spread it here. Then the letter, flat oot. Haud it doun, Jock, till I fold the flannel ower it. Nou put doun the airn. (MISTRESS EDWARD *lays the iron on the table. The* KING *picks it up*) Hou hot is it? (*He tests it*) Ph! Grand. It's juist richt. Nou watch this.

(*He starts to iron carefully over the letter.*)

MRS E: Whaur's Nicoll, yer Grace?

THE KING: He's awa to the Tolbooth wi the Englishman. Wheesht the nou. We'll sune see what Sir Robert's up to. (*He puts down the iron and lifts the flannel*) Look, Jock, it's up!

MAITLAND: It is that!

THE KING: It's in Sir Robert's haund! Juist what I thocht! Sir Robert's servant maun hae gien it to the horseman in the first place! Nou let me see. (*He reads excitedly*) It's fou o ciphers! Jock, ye ken the English code!† Wha's Argomartes? Bothwell, eh!

MAITLAND: Nane else! Is it for him?

121

THE KING: It is! By God, I hae Sir Robert nou! (*He reads*) America! That's the English Queen hersell!

MAITLAND: America, ay!

THE KING: Oho, then, listen to this! "Thou (that's Bothwell) didst by thine own unreasonable demeanour render thyself too weak to serve America further, and cannot complain that America now leaves thee to furnish thine own purse." Oho, eh! It's what I aye said! He's been in her pey aa alang! (*He reads*) But there's a bit here I canna richt mak oot. "As for thy latest threat, America hath strong hopes that through vee ane emm thirty-sax pund sterlin ..."

MAITLAND: The Preachers!

THE KING: Eh! By God, Maister Bruce, sae ye're in towe wi Sir Robert tae!

BRUCE: It's a lee! There's a mistake!

THE KING: Haud yer tongue and we'll see! It says here "America hath strong hopes that through the Preachers she may force Petrea ..." That's me! What rank black ineequity!

MAITLAND: Force ye to what!

THE KING: "to rise against Chanus"

MAITLAND: Huntly!

THE KING: Juist that! Listen! "to rise against Chanus in such strength that thy support will avail him nothing." Guid God! Thy support! Bothwell's!

MAITLAND: Support for Huntly!

THE KING: It canna be!

(*They peer excitedly into the letter. There is a commotion below the window.*)

MRS E: There's a steer on the stairs!

(RAB *comes to the door.*)

RAB: Here's my Lord Morton!

(*He stands back.* MORTON *enters.*)

MORTON: Yer Grace, I hae Colville here! He's gien himsell up!

THE KING: What! Whaur is he?

MORTON: I hae him here! He says he wants to speak to ye at ance!

THE KING: Dinna let him near me! It's a plot!

MORTON: He says he has news for ye alane!

THE KING: It's a trick, I tell ye! Is he airmed?

MORTON: Na.

THE KING: Lodovick! Staun by and draw! Jock! Whaur's yer sword? Pick it up! See that he daesna win near me!

MORTON: Sall I fetch him?

THE KING: Ye're shair he has nae weapons?

MORTON: Ay.

THE KING: Then let him come.

> (*They stand expectant.* MORTON *leaves. In a moment he returns and stands within the door* COLVILLE *enters stained with travel, and throws himself at the* KING's *feet. The* KING *shrinks back.*)

THE KING: Keep back!

COLVILLE: Maist Clement Prince.

THE KING: Ye hae said that afore! What dae ye want?

COLVILLE: (*Grovelling*) Yer Grace, I hae focht against ye in by-gaen times, but I actit as my conscience dictatit, and in the service o the true releegion.†

THE KING: Ye leear, ye did it for Bothwell and his English siller!†

COLVILLE: The Lord kens, yer Grace, that I thocht he was soond in doctrine. I renounce him nou!

THE KING: Eh?

COLVILLE: He's jeynt the Papist Lords for Spanish gowd!†

THE KING: (*Quietly*) Say that again.

COLVILLE: He's at Kirk o Memure wi Huntly and the ithers! They hae pledged themsells to kidnap the young Prince and murder Hume and Maitland.†

THE KING: (*As* MAITLAND *gasps*) The fiends o hell! Wha telt ye that?

COLVILLE: I hae kent it aa alang! I wantit to mak shair! Yer

Grace, ye'll paurdon me? I'll serve ye weill!

THE KING: I wad paurdon the Deil himsell for that news! It's like a dream come true! I can haurdly tak it in! To think o't! To think o't! My warst enemy destroyed by his ain folly! Aa my troubles washt awa by ae turn o the tide! Man, Jock, it's lauchable. It's rideeculous. It's a slap in the face to the Kirk and England baith. Ay, Maister Bruce, ye may weill look dumfounert! That's yer Bothwell for ye! That's the man that was to lead the godly in the service o the Lord! But dinna tak it ill, man! The Lord sall be served! I'll hound doun the Papists for ye nou! (*With a quick change of manner*) Man, Jock, look at him. He daesna seem pleased.

MAITLAND: It's ower big a dose for ae gulp.

THE KING: It is that! He canna believe that the Lord can hae His ain wey o daein His ain wark. That'll teach ye, my man that it's in the Croun and no in the Assemblies o yer Kirk that the Lord invests His authority, for has He no by this very move entrustit leadership to me, and gart ye lick yer vomit!

BRUCE: His will's beyond yer comprehension!

THE KING: His will's as clear as the licht o day! He has peyntit me oot as His airthly Lieutenant! Awa to yer colleagues, man, and tell them the news! Tell them their idol has turnt idolator! Let them cry frae ilka pulpit that the hour has come at last, whan the King sall lead the godly in the service o the Lord, and Bothwell and the Papists sall perish thegither!

BRUCE: May ye hae the Lord's help in the task, for ye'll fail withoot it!

(*He marches out.*)

THE KING: Hoho, he didna like it! He lost his tongue athegither! God, it's miraculous! Colville, I'll spare yer heid, man, for ye hae served me weill. Ye can ward yersell wi Morton. My Lord, I mak ye responsible for his safe keepin. Tak him doun to the Palace. I'll speir at him the nicht afore my Cooncil.

MORTON: Very weill, yer Grace.

COLVILLE: (*Kissing the* KING'S *hand*) Maist Clement Prince. Maist

Noble King.

THE KING: I haena paurdont ye yet, mind. Ye'll hae to tell me aa ye ken.

COLVILLE: I hae copies o aa their documents, yer Grace.

THE KING: They're yer ain wark nae dout. Awa wi ye. (COLVILLE *kisses his foot*) Man, ye're a scunner. Watch him weill, my Lord. (MORTON *bows*) Rise up aff the flair, man, and tak yersell oot o my sicht! (COLVILLE *bows himself elaborately out of the room.* MORTON *bows and follows him*) He turns my stamack, but he'll be worth his wecht in gowd. Lodovick! Caa my Cooncil for eicht o'clock.

LENNOX: Very weill, yer Grace.

(*He bows and leaves.*)

THE KING: (*Reaching for the bottle*) Weill, Jock, it's been a grand efternune. Eh, Mistress?

MRS E: It has that, yer Grace. Sall I tak the airn?

THE KING: Leave it. I want it. I'm expectin Sir Robert.

MRS E: Very weill, yer Grace. I'll leave ye, I think, and hae the table laid. (*Knowingly*) Will ye bide for supper?

THE KING: (*Joyfully*) Mistress Edward, ye're the best friend I hae! I'll clap my sword to yer guid man's back and say "Arise, Sir Nicoll"!

MRS E: Na na, yer Grace, dinna dae that. The Kirk wad turn against him. Aa the tred in black claith wad gang to Tam MacDowell. Wait till he's retired.

THE KING: Aa richt, whateir ye please. (*Eagerly*) What's in the pat?

MRS E: Cock-a-leekie.

THE KING: Ye maun hae kent I was comin!

MRS E: (*Bobbing*) I ken ye like it.

THE KING: I dae that. (MISTRESS EDWARD *leaves*) Jock, I'm bothert aboot siller. It'll tak a lot to cairry on a raid in the Hielands.

MAITLAND: (*Who has been helping himself from the bottle*) Damn it, man, ye hae eneuch gowd at Stirlin to pey for a dizzen raids, if ye juist had the gumption to use it.

THE KING: Na na, Jock! Annie wadna hear o't! She wad flee oot
at me! I wadna hae the life o a dug! Dinna stert that again!
MAITLAND: It's the ae wey oot.
THE KING: It canna be! We maun fin some ither! And it maun
be sune. My haill hairt's set on stertin at ance. Man, think—
MAITLAND: Wheesht!
THE KING: Here they are! It's Sir Robert! By God, I'll gar him
wriggle! Ye'll hae the time o yer life nou!

(NICOLL enters.)

NICOLL: Here's Sir Robert.

(SIR ROBERT enters. NICOLL withdraws. The KING affects a
heavy scowl.)

SIR ROBERT: (Puzzled) Your Majesty?
THE KING: Weill?
SIR ROBERT: You seem hostile.
THE KING: Daes it surprise ye?
SIR ROBERT: It doth, your Majesty, immensely.
THE KING: What dae ye think o that, Jock? He's fair astoundit!

(MAITLAND gives a little bark of laughter.)

SIR ROBERT: (Indignantly) My Lord! Your Majesty!
THE KING: Ay ay, Sir Robert, wark up yer indignation! But ye
dinna ken what's comin! Dae ye see that airn? Dae ye see
that bit o flannel? Dae ye see this letter? Ay, Sir Robert, ye
may weill turn pale. Ye may weill gowp like a frichtent fish.
Ye're a proved plotter, a briber o traitors, a hirer o mur-
derers! Whan I think hou ye hae leived amang us, respectit
by gentle and simple in the Toun, treatit like a lord at Coort,
honoured wi my ain freindship and invitit often to my very
table, I tak a haill-hairtit scunner at human nature! There's
nae kent form o torture, nae way o inflictin daith, that isna
ower guid for ye! Ye're waur nor the warst auld beldam witch
that was eir brunt to cinders!

SIR ROBERT: Your Majesty, I am but an instrument of my country's policy.

THE KING: Policy! Jock, he said policy! (MAITLAND *snorts*) Sir Robert, yer mistress daesna ken what policy is. She wantit to stop the plottin o the Papists, and aa she could think o was to mak Bothwell sic a terror to the country that I had to look to the Papists for help. Aa the siller she wared on Bothwell, gin it had been peyed to me at the stert, wad hae redd her o the Papists at ance!

SIR ROBERT: I think she attributed your friendship with the Papists, your Majesty, to your hatred of the Protestant Church.

THE KING: The Protestant Kirk! It's a Presbyterian Kirk! They winna acknowledge their Sovereign as their speeritual heid! They elect men o their ain to tak the place o my bishops in the Three Estates! I woner what the Queen yer mistress wad dae, Sir Robert, if the preachers o her ain Kirk in England denied her authority! Wad she show nae ill will? I ken she wad, for by God, there's nae sovereign in Christendom hauf sae shair o Divine Richt as her Majesty o England! My fecht with the Kirk, Sir Robert, is a fecht against government frae the pulpit, and yer mistress suld be the last to encourage that!

SIR ROBERT: Your Majesty, there was no question of such encouragement. My mistress feared Spanish invasion and the loss of her throne.

THE KING: Spanish invasion! Did she think for a meenit that I wad jeyn wi Spain to put Phillip on the throne o England and destroy my ain claim to succeed her!† Ye wad think, Sir Robert, that I had nae intelligence at aa!

SIR ROBERT: Your Majesty, I assure you.

THE KING: Oh ay, Sir Robert, try to win me roun, but I tell ye that gin I had nae mair sense nor to waste guid siller on a treacherous blaggard like Bothwell I wad droun mysell in the nearest dub. Dae ye ken what he's dune? He's jeynt the Papists!

SIR ROBERT: (*Slightly startled*) I thought it possible.

THE KING: Ye thocht it possible!

SIR ROBERT: I did your Majesty, as you will realise from my letter.

THE KING: I realise frae yer letter that ye were gaun to try to force my haund through the Kirk. Dinna try to mak oot, Sir Robert, that ye thocht I wad need ony forcin if Bothwell turnt his coat! Ye hae won what yer mistress wantit nou, but dinna try to tak the credit for it!

SIR ROBERT: Am I to understand, your Majesty, that the Papist Lords will be attacked?

THE KING: They will, by God, as sune as I can fin the siller!

SIR ROBERT: (*Airily*) Then, your Majesty, all is well. I am certain that the Queen my mistress, when she hath heard of your resolve, will endow you with undreamt of wealth.

THE KING: (*Eagerly*) Dae ye think sae, Sir Robert?

SIR ROBERT: I am certain, not only because you intend to serve a cause she hath at heart, but because she must regard you now as sound in your religion, and therefore the most proper person, by your faith as by your birth and endowments, to succeed her on the Throne.

THE KING: Ye think sae, Sir Robert?

MAITLAND: Sir Robert hauds the best caird in the pack, yer Grace. He aye wins ye roun.

SIR ROBERT: (*In protest*) My Lord!

THE KING: Na na, Sir Robert, he's richt! Ye ken hou to play on my hopes o the succession!

SIR ROBERT: Your hopes are brighter now, your Majesty, than the stars of heaven.

THE KING: Awa wi ye. Flaittery wins nae favour frae me. Ye'll hae to show yer guid will in mair solid form. Hou sune dae ye think I can hae some siller?

SIR ROBERT: As soon as the Queen my mistress hears of your resolve.

THE KING: Then let her hear at ance. And I'll write to her mysell. Ye may tak yer letter.

SIR ROBERT: Your Majesty, you are indeed merciful. Have you seen ought of my servant?

THE KING: Ye deil, ye're wrigglin oot aathegither! Yer servant's in the Tolbooth, and he'll bide there the nou! I maun dae something to assert mysell! Gin it werena for the turn things hae taen, Sir Robert, I wad be faur mair severe! Ye wad pack yer kist and mak for the Border! Ye bide on, ye understaun, for the sake o the guid will that maun exist atween mysell and yer royal mistress, but gin I fin ye up to ony mair o yer intrigues I'll ask her to remove ye at ance!

SIR ROBERT: Your Majesty, I understand.

THE KING: Awa and think shame o yersell!

(SIR ROBERT *bows to the* KING, *then to* MAITLAND, *then leaves. They watch him go.*)

THE KING: I couldna be hard on him, for he's fired my hopes. Jock, I *will* pledge the bairn's praisents! They'll be safe nou. I can hae them back whan his mistress pays up. Oho, but fortune's favoured me the day! There's naething in my wey! Aa that I hae wished for is promised at last! Bothwell on the scaffold, the Papists houndit doun, the Kirk in my pouer, England ahint me, and then, in the end, the dream o my life come true! It gars my pulse quicken! It gars my hairt loup! It gars my een fill wi tears! To think hou the twa pair countries hae focht and struggled. To think o the bluid they hae shed atween them, the touns they hae blackent wi fire, the bonnie green howes they hae laid waste. And then to think, as ae day it sall come to pass, that I, Jamie Stewart, will ride to London, and the twa countries sall become ane.

(MISTRESS EDWARD *can be heard off calling* "Nicoll! Nicoll! Come for yer supper!")

MAITLAND: (*Coming out of his trance and reaching for the bottle*) Ay, yer Grace, it's a solemn thocht. But the auld bitch isna deid yet.

(*He places the bottle before the* KING. *The* KING *fills his glass.*)

THE KING: (*Raising his glass high*) Jock, here's to the day. May the mowdies* sune tickle her taes.

(MISTRESS EDWARD *appears at the door of the dining-room.*)

MRS E: (*With a deep curtsy*) Yer Grace, the supper's ready.

(*The* KING *and* MAITLAND *eye each other and drink the toast.*)

CURTAIN

GLOSSARY

19	chalmer	room
21	awmrie	cupboard
	compter	sideboard
	booth	shop, stall
22	ettles	is eager
	ports	town gates
	clash	gossip
23	ettled	intended
	clowts	blows
	put to the horn	proclaimed a rebel
	herry	harry
24	kist	chest
	corbies	crows
25	grue	shudder
27	kenspeckle	conspicuous
28	chief	friendly
30	clypin	telling tales
	tod	fox
	gaun that gait	going that way
31	stoups	flagons
	glaur	mud
	scunnert	disgusted
32	wabbit	exhausted
34	lippen	expect
38	thowless	useless
40	snash	abuse
	preens	pins
	cley corp	clay effigies

40	pousins	poisons
52	airn	iron
53	winnock	window
56	ablow	below
	thrang	busy
	yett	gate
60	cot-hooses	cottages
61	bune	except
	seminary priests	i.e. Roman Catholic priests
62	flummoxed	defeated
65	feids	feuds
68	pairt-takars	collaborators
74	causey	cobbled roadway
76	gommeril	scoundrel
79	the hin end	the end
82	kittle	difficult
85	chappin	knocking
89	spulzies	raids
	thir	those
	tabard	coat
92	messan	cur
97	taiglet	entangled
100	steik	shut
103	rowe	roll
	breinge	violent movement
104	yill	ale
	siller	money, coin
	souther	solder
	hurlt	carted
106	towe raip	hemp rope
107	lift	sky
	flytin at	abusing
112	girnels	granaries
117	brods	boards
	heuks	reaping hooks
118	dung	knocked

118	rypit	rifled
120	donnart	stupid
	jougs	pillory
129	mowdies	moles

NOTES

As this play centres on the complicated relations between James VI and Bothwell during the early 1590s, the majority of these notes are historical in content. By way of introduction it should be made clear, that Mr McLellan has paid close attention to historical fact throughout. His major sources are Moysie's *Memoirs* and Tytler's *History of Scotland*, but clearly he has consulted other accounts and records, including the *Calendar of Scottish Papers*, *Acts of the Parliament of Scotland* and the *Memoirs* of James Melville. This research gives his play greater depth than it otherwise might have had, and produces a more interesting picture of James than that suggested by the worn cliché, "wisest fool in Christendom". While highlighting the king's cowardice and awkwardness, Mr McLellan correctly matches these traits with his undoubted political skill and wit in repartee. We laugh at him the one moment and with him the next, gaining a more valuable and accurate insight into his personality, than if the playwright had chosen the easy way out by parodying his hero.

Just as Barbour in *The Bruce* remained faithful to history, except where literary demands opposed this principle, so Mr McLellan occasionally takes liberties with fact, especially at the highpoints of comedy. In Act IV, the basic situation is factual. Bothwell had lost Elizabeth's favour, though still serving her, and he was actively plotting with the Catholic lords. The comic cockney servant and the drama at the deciphered letter are however the dramatist's additions, each contributing markedly to the overall theatrical effect of the scene. Slight alterations are also made to facilitate exposition. By providing Colville with a parchment, listing Bothwell's demands in Act II, the playwright covers the major points at issue more swiftly than he could have done by dialogue, while allowing James to amuse us with his biting sarcasm at the expense of Colville's lack of legal training. Necessarily, too, characters are used dramatically. To avoid overloading the cast list, one character may be used in various situations, not all of which actually did concern him. For example, in the play, the preacher Robert Bruce comes into James's presence immediately after Bothwell's attack on Holyroodhouse in 1593. There is no evidence to support this, but it is dramatically convenient and contributes to the full portrait of Bruce, drawn by the author. Moreover it is the sort of thing that *might* well have happened, even though it probably did not. When historical truth becomes an inadequate vehicle for comedy, feasibility based on historical truth becomes the playwright's rule. On these principles, he constructs a play, which impresses at once through its authentic historical background and the vitality of its comedy.

Before the notes, I have provided short biographies for major characters, concentrating on the period immediately prior to that of the play. The necessary information about minor characters is contained in the notes themselves. Those passages from Moysie, which lie behind the central dramatic incidents, are cited in full, along with shorter extracts from other contemporary commentators, when these seemed helpful. The remaining notes are designed to aid the reader's understanding of the action, with the minimum testing of his patience.

MAJOR CHARACTERS

(*in order of appearance*)

Queen Anne of Scotland: (1574-1619). Born at Skandeborg in Jutland, daughter of King Frederick II of Denmark and Norway. Marriage negotiations between her and James were unofficially opened in 1585. Opposition was encountered from Elizabeth I and Maitland of Thirlestane, while the French poet Du Bartas urged the case of a rival in Catherine of Navarre. Despite this, Anne was married by proxy to James on 20th August, 1589. Due to adverse winds, the king sailed first to Norway in October of that year, returning to Scotland by May 1590. The play thus deals with the early years of marriage, when she found difficulty in adapting to Scottish ways.

The Lord Atholl: (1563-95). John, 5th Earl of Atholl was a firm Presbyterian and supporter of Bothwell. He is known primarily for his part in the raid of Leith in April 1594. He married Mary Ruthven, daughter of William, Earl of Gowrie. James never forgave Gowrie for leading the protestant Ruthven Raiders, when they held him captive during 1582 and 3. For this reason, among others, he mistrusted Atholl.

King James VI of Scotland: (1567-1625). Son of Queen Mary and Darnley. The period covered by the play, was one demanding from the monarch, great strength and political skill. Much of the comedy derives from a study of this intelligent, if somewhat pedantic ruler trying to play the Presbyterian and Catholic factions against one another; foster the English alliance, while keeping the paths to France and Spain open; cope with the unexpected raids of Bothwell and deal with a forthright Queen, for whom his affection was already waning.

The Lord Spynie: (d. 1607). Alexander Lindsay, first Baron Spynie was the fourth son of David, Earl of Crawford. He was an early favourite of James, and accompanied the King on the marriage expedition of 1589. He gained his title by lending the King 1,000 crowns. He lost James's favour, when accused of harbouring Bothwell during August 1593. He was denounced with "other adherents of Bothwell" in February 1594, but soon regained power.

John Maitland of Thirlestane: (1545-95). Lord Chancellor of Scotland. He was the second son of Sir Richard Maitland of

Lethington and younger brother to William Maitland of Lethington. Earlier, along with Robert Melville, he had plotted the overthrow of Morton. A dedicated opponent to Bothwell, he was an instigator of the charges of witchcraft made against him. McLellan makes much of this, as of his planning the death of the Earl of Moray. Moray had been earlier involved in an unsuccessful attempt to disgrace Maitland, whose motives were partly of revenge. James favoured his policy of conciliation towards the Catholic lords and relied greatly on his political advice.

The Lord Ochiltree: (fl. 1547-93). Andrew Stewart, 2nd Lord Ochiltree. Consistently opposed to Queen Mary, he held some power under both the elder Moray and Morton. The play focuses on his function as mediator between Huntly and Moray, when the former tricked him and assassinated his enemy. Ochiltree was furious at this and began to side with Bothwell, participating in the latter's 1594 plan to attack Huntly.

Lodovick Stewart, Duke of Lennox: (1574-1624). His father had been the young James's closest favourite until his death in 1583. Lodovick was appointed president of the Privy Council during James's absence in Scandinavia. During the period covered by the play, he married Lady Sophia Ruthven and became Lord High Admiral instead of Bothwell. He left the court after a feud but returned in May 1593. He became James's Lieutenant in the North during the following year. He proved a staunch supporter of the King's ecclesiastical policies.

Sir Robert Bowes: (1553-97). He was the English ambassador in Scotland from 1577. His aims were to encourage those Scottish nobles loyal to Elizabeth, while counteracting the influence of the French. In the play, his secret alliance with Bothwell and skill in manipulating James are stressed.

Sir James Melville: (1535-1617). He was the third son of Sir James Melville of Raith and served as page to Mary Queen of Scots in his youth. During the time of the Rizzio and

Darnley murders, he remained neutral, but later sided with the Regent. On the accession of James VI he was knighted. In the play, his verbosity and opposition to James's ecclesiastical policies are highlighted to the point of parody.

Francis Stewart, Earl of Bothwell: (d. 1612). Son of Lord John Stewart and Jean Hepburn (sister of Queen Mary's husband, Bothwell), his plots against James VI form the main plot of the play. He married Margaret Douglas, eldest daughter of the 7th Earl of Angus. On the fall of Morton, he pledged himself to represent Presbyterian interests at court, although his own religion was not intensely held. His escapades prior to the play, include breaking into the Edinburgh tolbooth to seize a witness, about to testify against one of Bothwell's friends. After being imprisoned himself on the charge of attempting to drown the King by witchcraft, he escaped from jail and raided Holyroodhouse.

John Colville: (c.1542-1605). A graduate of St Andrews University, he became a minister, but in 1575 was expelled for having wasted his benefice. He became an English spy and was also "much in conforte with the Earl Bothwell".

Robert Bruce: (1554-1631). Second son of Sir Alexander Bruce of Airth, he was at the time of the play, minister of St Giles and a leading figure among the Presbyterians at court. He often annoyed James, mainly through opposing the introduction of increased episcopal government in the kirk. This issue eventually led to his banishment in 1600.

The Earl of Morton: (d. 1606). Sir William Douglas of Lochburn. He rose to power during the regency of the 4th Earl of Morton, suffered imprisonment during the counter-revolution of June 1583, but was released and later plotted the overthrow of Arran. In the play he is shown to be among the Presbyterian leaders.

ACT I

19 David Moysie, *Memoirs of the Affairs of Scotland*. Quotations from Moysie in Act I follow the Bannatyne Club edition of 1830. Those in later acts follow Ruddiman's Edinburgh edition of 1755. There are marked differences between these editions, and the one, which is closer to McLellan has been in each case chosen. The dates in the play also follow Moysie, who gives them according to the Old Style. By modern reckoning, the events of Act I took place in 1592.

21 "Nicoll Eduardis hous in Nithreis Wynd": Usually he is referred to as Udward or Uddart. He became provost of Edinburgh in 1592 and proved a staunch ally to James. In the *Book of the Old Edinburgh Club*, I, 85, we learn that he was "of a most antient descent in that Burgh" and "built those great lodgings in the middle of Niddrie's Wynd". His house was afterwards known as "Lockhart's Lodging". See also Moysie, p. 88, "That samyn nicht that he (Moray) wes slayne, after his Majesteis come in fra the hunting, to his ludging in Nithreis wynde in Nicoll Eduardis house . . ."

"Bailie Morison's doun in the booth": The character of Morison is probably founded on that of the powerful shipping merchant, John MacMorran. See Gordon Donaldson, *Scotland, James V-VII* (Edinburgh and London, 1965), p. 251.

22 "Can ye no gang to the Toun Gaird": No official body called the Town Guard existed at this time in Edinburgh. The city was divided into areas, each controlled by a Bailie with a 'watche' responsible to him.

"Anither o Bothwell's ploys": The reference here is presumably to Bothwell's attack on Holyroodhouse, only two months earlier. The raiders set fire to the king's door and hammered on the queen's. See David Calderwood, *The History of the Kirk in Scotland*, ed. Thomas Thomson, Wodrow Society (Edinburgh, 1845), V, 140.

23 "Some wha suld hae been fechtin for the King were on the side o Bothwell": Most of these were Presbyterians or courtiers, displeased at the vast power wielded by Bothwell's enemy Maitland of Thirlestane.

"For brekin oot o the Castle jeyl": Calderwood, V, 132: "Upon Tuisday, the 21st of June, Bothwell brak waird at two houres in the morning, and escaped out of the Castell of Edinburgh, with one of the captan's servants." He had been imprisoned after the April witchcraft trials. His outlawry dated from 24th June.

24 "Bonnie nick-nack frae Flanders": Trade with Flanders flourished at this time, and some Flemish craftsmen were even brought across to teach the Scots their skills.

"That witch they were burnin at the Cross": Trials for witchcraft increased during James's reign, due partly to his own consuming interest in the subject. It should be remembered that such beliefs were part of James's theology and generally held.

"The like o Bothwell that sets them on": See Moysie, p. 85. "Amangis the rest, ane Ritchie Grahame accusit of witchcraft confest mony poyntis, and declaired that the erle of Bothuell was ane traffecker with him and utheris anent the conspyring the Kingis dead." Bothwell did admit to having visited the witches but with a view to discovering his own fate, not influencing the king's.

25 "It's a book he's writin": The reference is to James's *Daemonologie in Forme of ane Dialogue* (Edinburgh, 1597).

26 "The mair he bides awa frae the King the nou the better": At this time Lennox was officially banished from the court. "Hae ye forgotten her ongauns wi the Earl o Moray?" Rumours that the Queen had an affair with both Lennox and Moray were rife, though probably fallacious. Maitland of Thirlestane was one of those instrumental in spreading them and the latter hypothesis of course endures in verse:

> He was a braw callant,
> And he rade at the glove;

> And the bonnie Earl o Murray
> Oh! he was the Queen's luve.

See also P. F. Tytler, *History of Scotland* (Edinburgh, 1882), IV, 184, 228.

26 "My Lord Huntly": Although the 6th Earl and 1st Marquis of Huntly never appears on stage, he plays a large part in the action discussed. Imprisoned for sending a letter to Philip of Spain in 1589, he was released in March of that year. This speedy act of mercy was due to his having recently married a daughter of James's old favourite, Esmé Stuart. Popular opinion opposed the decision and he was forced out of Edinburgh, raising a standard of rebellion in the North along with the Earls of Erroll and Crawford. The irony of the Bailie's remark lies in the fact, that at this very moment Huntly was advancing on Moray at Donibristle.

27 "We leave Logie": The Logie in question is John Wemyss of Logie, son of Andrew Wemyss of Myrecairnie. Calderwood refers to him as "a varlett of the king's chamber". See *Warrender Papers*, Scottish History Society, II, 53.

28 "As a pillar o the Kirk": The implicit reference is to Bothwell's promise to represent the interests of the Presbyterian ministers at court.

30 "He gat redd o the Bonnie Earl in juist the same way": James Stewart of Doune became Earl of Moray by marrying the daughter of the regent Moray. His feud with Maitland centred on their competition for the priory of Coldingham. See Donaldson, *James V-VII*, pp. 190-1.

33 "They're gaun to ride for Dunibrissel at the chap o seiven": The murder of Moray is the central incident in the first act. It is noticeable that McLellan uses most of the details mentioned by Moysie in his account (*Memoirs*, p. 88): "Upone the vii day of Februar or therby, the erle of Huntlie, with sex or sevin scoir of his freindis, past out of the kingis house, and maid thame to giang to ane horse rease at Leithe; bot quhen they wer theare, hafing the executioun of a

blouddie conspiracie in thair hairte, they past to the Queinies ferrie, quhair they had causit stay the passing over of all boittis, and past toward the plaice of Donnybirsell besyd Aberdour, perteining to umquhill James Erle of Murray. Quhilk being the duelling house of his mother, and he brocht to the samyn be the lord Uchiltrie, upone his Majesteis promeis to ressave him in his hienes favour, for any occasioun of hafing to doe with the erle of Bothuell, and upone his Majesteis promeis to agrie him the erle of Huntlie and the chancellor Mettland, sua upone his Majesteis desyre and command foirsaid, the said Lord Uchiltrie wreyt for him; quheare (upone) he come to Donnybirsell, quhaire he wes slayne."

34 "Tell him to shut aa the ports . . . fin Ochiltree": Cf. Moysie, p. 89: "Quhairof the King, being informed, send for the said Lord Uchiltrie with all diligence to come unto him, and in the meanetyme causit cloise the portis."

"Ye wad come in by the Nether Bow": Situated at the foot of the present-day High Street.

35 "I will stey at Lithgie": It is more likely that Anne would have preferred her own palace at Dunfermline, although she did spend some time at Linlithgow.

36 "Ye hae some plot": Most historians share Anne's sus-picions, but Maitland's best biographer, Maurice Lee, is more hesitant. While supporting Maitland's innocence, he does admit that "almost immediately popular opinion con-cluded that the king and Maitland were somehow involved in Huntly's deed". (M. Lee, *John Maitland of Thirlestane* [Princeton, 1959], p. 239).

37 "He say mairry the Princess o Navarre": Maitland hoped to gain lands round Dunfermline, which were to pass to Anne in the event of her marrying James. This was his main motive in supporting the rival claims of Catherine of Navarre.

38 "Huntly left the Town . . ." et seq.: See Note, p. 33.

39 "Huntly had a warrant . . . Oh, sae ye hae tricked me":

That James sent one half of the feud to bring back the other, and tricked the well-intentioned Ochiltree, argues strongly for his guilt.

40 "Didna his wife's faither the Guid Regent send auld Huntly to the scaffold": In an odd sense, this is true. A feud arose when the earldom of Moray was transferred to Moray from Huntly by Mary. Huntly resisted, but was defeated at Corrichie in 1562. After the battle, Huntly suddenly fell dead from his horse. His embalmed body was brought to the Council chamber, condemned posthumously and sentence of forfeiture passed on it.

43 "Your literary labours": James was a critic and poet of more than moderate talent. His *Reulis and Cautelis*, though based on foreign models, was the first major Scottish work of literary criticism. In addition his sonnets and translation of Du Bartas' *Uranie* show some poetic skill. His greatest achievement however, lies in creating a poetic group at the court, including such figures as Montgomerie, Stewart of Baldynneis and William Fowler.

"Na na, Sir Robert": The arguments advanced by James in this discussion are all to be found in his political work, the *Basilicon Doron*, ed. J. Craigie, Scottish Text Society (Edinburgh and London, 1941-4), Vol. 2. See especially pp. 103-110.

44 "The Socratic method": As a student of the classicist, George Buchanan, James would be well versed in the art of Socratic dialogue. He uses it to some extent, in his *Daemonologie*, while his library contains "sum bukes of the Repub. of Platon in frensche". See "The Library of James VI", ed. George F. Warner, *Miscellany Volume*, Scottish History Society (Edinburgh, 1893).

"A certain fellow, your Majesty . . ." et seq.: John Morton, a messenger for Huntly and Errol was caught at Leith with letters, showing those lords to be involved with both Pope and Emperor. The messenger tore up the letters and tried to eat the pieces. Later these fragments were joined together again and James cross-examined the messenger. See Tytler, IV, 230.

"One James Gordon, a Jesuit": Gordon was uncle to the Earl of Huntly. In 1587, he was accused of "sawing papistrie in the hairtes of (the) pepill". He was banished, but sheltered by Huntly. He became involved in the present affair as the letters from Pope and Emperor were to be delivered to him by John Morton.

ACT II

47 "The Kingis chalmer in the palace of Halyroudhous, XXIV July, 1593": The central event in Act II is Bothwell's second invasion of Holyroodhouse. Moysie comments (*Memoirs*, p. 206): "Upon the 23th (sic) of July, the earl of Bothwell and Mr John Colvil, who now had been three years banished, accompanied with the Earl of Athole, the lords Ochiltree and Forbes, and others to the number of two or three hundred men, came into the abbay of Holy-roodhouse, betwixt nine and ten o'clock in the morning, and, when the king was rising, and putting on his cloaths, entered unawares with drawn swords into his majesty's chamber. Bothwell and Mr John fell down on their knees, and delivered away their swords, and Bothwell craved his majesty's mercy and pardon, which his highness granted." The incident of the drawn swords is retained by McLellan, although other sources say that James entered to find Bothwell kneeling with his sword lying before him on the ground. See D. H. Willson *King James VI and I* (London, 1956), p. 112.

49 "Like the auld Lords at Ruthven": In August 1582, Gowrie, Lindsay and Glamis captured the King while hunting near Perth. They lured him into Ruthven castle, holding him prisoner till June 1583. James fears that the Presbyterian group may use such tactics again. The group became

known as the Ruthven raiders for this reason, and because the Earl of Gowrie was William Ruthven.

50 "Atholl . . . Yer wife's turnt yer heid": James continues his "Ruthven" line of thought. Atholl's wife was Mary Ruthven, Gowrie's daughter.

"I sent her faither to the gallows": In May, 1584.

51 "Justice hasna been dune against his murderers": James did deal leniently with Huntly, partially because of his marriage to Esmé Stewart's daughter (see Note, p. 26), but also because his policy was to play the extremist parties against one another. This implied keeping the Northern earls in a reasonably strong position.

52 "It was ane o her Grace's leddies that let him oot": Margaret Vinstar. (See Note, p. 106.)

"And there's Ritchie Graham the wizard": Graham was one of the North Berwick witches, consulted by Bothwell. In November 1590 they admitted meeting the devil in the form of "a man with a redde cappe, and a rumpe at his taill". See the anonymous *Historie of James the Sext*, Bannatyne Club (Edinburgh, 1825), p. 242.

53 "Think o yer faither": Darnley, murdered at Kirk o Field, outside Edinburgh, 1566.

"Ye could hae saved her gin ye'd tried": Buchanan had taught James to hate his mother. Most historians share the attitude here expressed, pointing out that Maitland was so ashamed of James's delight at her death, that he banished all courtiers from the King's room. Ironically McLellan's major source Moysie reports that James "was in great displeasure and went to bed without supper".

"I see Hume the Provost and auld Sir Jamie Melville": McLellan is still predominantly following Moysie (*Memoirs*, p. 206): "This bred a great fray in Edinburgh; the common bell rang, and all men made to arms. The provost of Edinburgh, Sir Alexander Home of North-berwick, with a number of armed men, came down in all haste to the abbay, and desired to know his majesty's mind, and whether he was captive or not. Whereupon his majesty cried out at a window to Sir Alexander, and the other gentlemen, who were there, and inquisitive of the matter, that if the promise, which those who were within had made to him, was keeped, his majesty had nothing to say. However, he desired the provost, and those with him, to retire to the abbay kirk-yard, until he should call for them again; and a little there-after his majesty called for the provost, who, with some of the baillies, came in at the gate, and spake with his majesty: he commanded them to dissolve their folks, and pass home, for he hoped all things would be quiet." To this basic situation, McLellan adds the comic embellishments of James's terror and fury at the crowd's preference for Anne.

58 "The rest o ye maun gang awa peacably": See Note, p. 53.

59 "Ane, juist. Maister Bruce": Bruce was not summoned to the royal presence at this point. This is a good example of the author's dramatic use of his characters.

60 "He maun hae the pouer by Divine Richt": Cf. *Basilicon Doron*, ed. Craigie, II, 27, "this glistering worldly glorie of Kings, is given them by God".

61 "A king's the faither o his subjects": The argument of the *Basilicon Doron*, being originally intended as part of Prince Henry's education, relies heavily on this analogy.

"It isna fower days sin the Three Estates gied ye aa ye could ask for": These acts were passed on 16th July, 1593, eight days before the attack on Holyroodhouse. See *Acts of Parliament of Scotland*, IV, 17.

62 "Act o attainder": Act decreeing judgment of death or outlawry in respect of treason or felony, without a juridi-cial trial.

63 "Glamis the Treasurer": Sir Thomas Lyon, Master of Glamis and a leader of the Ruthven Raiders.

64 "He did it for a lump o grun": Cf. Note, p. 37. Maitland was often motivated by a desire to extend his holdings of land.

66 "I hae served in mony a coort abroad": Melville served as

page to Mary in France. His close association with the Elector Palatine also helped to make him a frequent visitor at foreign courts.

"Ye'll ken what Theopompis answert" : Theopompis of Chios (b. 380 B.C.) was a Greek historian. His major work, a history of the career of Philip of Macedon is lost, but lives on in the works of later writers. This anecdote is taken from Melville's *Memoirs* (Abbey Classics edition, p. 207), in a letter from Melville to James.

"As Plutarch said to the Emperor Trajan" : This anecdote is included in the same letter (Abbey Classics, p. 208): "If thy government answer not the expectation of thy people, thou must necessarily be subject to many dangers."

68 "(Reading from a parchment)" : I have found no record of such a parchment, though its existence is possible. It is however a clever dramatic device, informing the audience quickly of Bothwell's main aims, while allowing James his effective comic asides on its stature as a legal document.

"I'm gaun to staun my trial" : An example of dramatic concision. Three days elapsed before this was decided.

71 "Gin he hadna a haund in this mornin's wark I'm nae judge o villains" : James is correct, as this attack on Holyrood-house had originated with either Bowes or Elizabeth.

73 "I hae some o his sonnets aff by hairt . . . They're fou o pagan gods" : She is probably referring to the sonnets introducing James's *Essayes of a Prentise* (Edinburgh, 1585), most of which centred on the figures of various pagan gods. Even in his love poetry to Anne, the King compares his love to Diana, Cytherea and Minerva, but the *Amatoria* were not printed and unlikely to be available to Morton's daughter.

ACT III

74 "The King, cloaked and booted for travelling" : The import of James's attempted flight to Falkland lies in the date. The

11th August, 1593, was the day after Bothwell's trial, at which he had been exonerated of conspiring with the witches. James hoped by fleeing, to postpone the official forgiveness, promised if Bothwell's innocence were upheld.

"Lesley . . . Ogilvy . . . the Erskines": See Tytler, IV, 201. "He was assisted in this by three gentlemen of the house of Erskine, who had been permitted to remain about his person. They employed two others of his attendants, named Lesley and Ogilvy."

77 "I kent it! He luve her!": This rumour is reported by Tytler (IV, 228). It was spread by Bothwell.

79 "I'm gaun to Falkland, I tell ye! I'm gaun to win my freedom!": See Moysie, p. 208. "The king's majesty immediately after this (Bothwell's trial) intended to pass over again to Falkland to his pastime; but the lords stayed him three or four days beyond his intention, till it was agreed that his majesty should, as a free prince, pass in quiet, as his highness pleased to his pastime."

81 "Is it a bairn?": As Prince Henry was born on the 19th February, 1594, Anne would then be about two months pregnant.

"Was I no ambassador frae yer mither to her Majesty in England": Melville was sent to negotiate about Lennox's proposed visit to Scotland and other matters. See T. F. Henderson, *Mary Queen of Scots*, 2 vols. (London, 1905), I, 288.

85 "It was nae trial! It was naething but perjury frae stert to feenish": Bowes in a letter to Burghley takes the opposite view, *Calendar of Scottish Papers*, XI, 142. "The evidence against him (Bothwell) was wholly grounded on the tales of "Richy" Graham (executed for witchcraft), who before renounced the benefit of his baptism to serve the devil, and . . . was enticed to accuse the Earl, with hope of his life."

"Craig my coonsel": Mr Thomas Craig, advocate.

"I could hae quotit some authorities": These are very varied, with some actually rather sceptical about witchcraft.

Bodinus is Jean Bodin whose *De la Demonamanie des Sorciers* circulated in a 1580 Paris edition. Cornelius Agrippa's *De Occulta Philosophia* expresses marked doubts on the existence of witches. Hemingius is the Danish writer, Niels Hemmingsen, author of *Opuscula Theologica*, Hyperius is Andreas Gerardus, whose work on witches had lately been translated (1581) by R. Vaux and published in London.

87 "Hang the Papistsh!" There is unconscious irony here, as Colville himself became a Catholic in 1600.

91 "Whan I was paurdont and gien back my grun!": James was forced to give a formal promise to this effect. See Moysie, p. 208. "His majesty promised them by his oath and hand-writing to restore the earl of Bothwell, with his accomplices, to all their lands and possessions, and to remit to them all their bygone crimes."

93 "(Spynie enters with Sir Robert Bowes)": See Tytler, IV, 202: "As a last resource, Bowes the English ambassador was called in. With matchless effrontery he declared his mistress's astonishment at the enterprise of Bothwell; regretted the facility with which so treasonable an invasion had been pardoned; and expressed her anxiety for the safety of the king's person." The remaining part of the scene is an expansion on this comment.

94 "An outlawed traitor": Bowes is covering up at this point. There can be no doubt that he was involved with Bothwell. See for example, *Calendar of Scottish Papers*, X, 209.
"First put to the horn!": In June, 1590.

95 "I'm a Protestant! I staun for Episcopacy": James's desire to introduce increased episcopal government made him a doubtful "protestant" in the eyes of the extreme Presbyterian faction. Indeed this speech shows James's policy of conciliation and expedience in practice. Within four lines he covers all the main shades of religious feeling then current in Scotland.

96 "I'll be put to the horn again!": This is an accurate pro-

phecy. A convention held next month revoked the concessions to Bothwell. He was then ordered to leave Scotland.

97 "Sir Robert, it was maisterly": Melville, who throughout is seen as a once great mind, now well on the way to senility, seems to have missed the single key to the situation, Bowes' secret alliance with Bothwell.

98 "He was dancin to my tune aa the time": This is another example of James's political astuteness. It is difficult to understand, why some critics blamed McLellan for underestimating James's intelligence. See *Glasgow Herald*, 1st April, 1937, p. 7.

99 "There's something likeable aboot Ochiltree": James seems to have been attracted to Ochiltree personally, though disapproving sometimes of his actions. Even Moysie remarks, that he "had great favour and liking for the Lord Ochiltree".

100 "And was it no the renowned Isocrates himsell wha said": The two following remarks are taken from a passage in James Melville's *Memoirs* (Abbey Classics edition, pp. 155-156). The first is from a letter from Elizabeth to James, the second from one composed by Melville on James's behalf.

101 "Ye ken hou I like to haver awa": It seems rather unlikely that James would have talked in so condescending a fashion about his literary and philosophical pursuits, unless he was trying to win over Morton with a display of bonhomie.

ACT IV

104 "Johnstones . . . Maxwells": These two families had long been engaged in a bitter feud. See *Calendar of Scottish Papers*, XI, 672, 680, 690.

106 "Vinstar nae mair": Margaret Vinstar married the laird Logie. Her maiden name appears in various forms in the documents of the period, including Winchestern and Weiksterne.

"The nicht ye won doun ower the jeyl winnock": In July 1592, Logie and Burleigh were found to be involved with

Bothwell. Logie was to be tried, but was rescued by Margaret Vinstar from prison. Calderwood narrates the incident as follows, V, 173: "The night before, one of the queen's dames, Maistresse Margaret, a Dutchwoman, came to the guarde, and desired that he might be suffered to come to the queen, who had something to inquire of him. Two of the guarde, brought him to the king's chamber doore, and stayed upon his coming furth, but she convoyed him in the meane tyme out of a window, in a paire of scheats, and he lodged with Nidrie that night."

107 "Ye had a grand christenin": Prince Henry was baptized in August 1594. The supervising of ceremony and entertainments was primarily entrusted to William Fowler, one of James's courtier poets and secretary to Queen Anne. See "True Reportarie of the Baptisme of the Prince of Scotland", *The Works of William Fowler*, ed. H. W. Meikle et al., Scottish Text Society, 3 vols. (Edinburgh and London, 1914-1940), II, 165-79.

108 "The young Prince gat some gey grand praisents": McLellan's account of these presents is mainly based on Moysie, p. 232.

"Titles! What a rigmarole!": Cf. Tytler, IV, 219.

110 "It'll be aboot siller for the raid against the Papists?": A raid against the Catholic lords was planned. James afforded it guarded support, but would not finance it. This was left to the Presbyterian ministers. Colville wrote to Henry Lok on this topic, the day after this scene "took place": "I think this raid upon the Papists shall now hold, and the men of war are 'lifting' daily, the people gladly contributing for that service and delivering all to the ministers of Edinburgh."

112 "Gin the siller were brocht forrit he wad hae to stert": Bruce had always been amongst the keenest supporters of the raid. Shortly after Henry's baptism he tried to rush Argyll into marching against the Northern lords.

"If ye walk contrar unto me . . .": See Leviticus, XXVI, 27-32.

115 "Whan he cam wi Ochiltree to Edmonstone Edge": Both-
well and Ochiltree's forces met Hume's at Edmonstone
Edge, a hill beyond Niddrie. Pretending to be in retreat, they
forced Hume's forces out of position and defeated them.
It is doubtful whether Bothwell had intended to attack the
palace, but James construed it thus and gave Hume credit
for having at least turned the enemy forces.
"And Hume? . . . Ye ken he's convertit": Under suspicion
of being in touch with Huntly, Hume may have feigned
conversion as a matter of policy. He currently enjoyed high
favour and carried the crown at Prince Henry's baptism.

117 "They wad be led by my Lord Bothwell": While intriguing
with the Catholics, Bothwell still vowed support to the
Presbyterians, who retained their misplaced confidence in
his integrity.

119 "Weill weill, we hae dealt wi blanks afore": James is refer-
ring presumably to the affair of the Spanish blanks in 1589.
Then George Ker, brother to Lord Newbattle was stopped
by Andrew Knox, minister of Paisley and found to have on
his person, various communications from Scottish lords,
intended for Phillip of Spain. Among these were blank
papers signed by Huntly, Errol, Angus and Sir Patrick
Gordon. They had been left blank as a precaution and were
to be completed in Spain by Kerr and his associate the
Jesuit, William Crichtoun.

120 "Did Sir Robert Bowes send thee to obtain this letter ...":
The central incident in Act IV is not so fully documented as
those in the earlier acts. Moysie does establish that Both-
well's alliance with the Catholics was then uncovered. 15th
September 1594: "Sure word come to his Majestie that
Bothuell wes joynit with the papist Lordis." John Colville,
writing on the following day also mentions "letters which
have opened the whole matter", but these were carried
by Bothwell's servant Orme and did not involve Bowes. I
believe the linking of this discovery to that of the cipher
letter and an alliance between Bothwell and Elizabeth was

152

suggested by Tytler, IV, 204. Dealing with a year before this time, the historian discusses Elizabeth's alliance with Bothwell and her attempt to make him join with Huntly. Tytler backs this up by publishing a cypher letter, rather similar to the one used by McLellan. I cite extracts from it. "The party employed to sound Chanus (Huntly) and his compartners, how they stand affected to proceed in and perform their offers made for America, (England) letteth me know that he hath spoken with Chanus ... I understand perfectly that Chanus will both impart to Petrea, (King of Scots) and ... I believe verily, that his partners binding up with Argomartes, (Bothwell) shall acquaint him therewith. Further, this cannot be kept from the ears of the vi m £86£6 (Kirk) here".

121 "The English code": McLellan follows the attributions given in Tytler. Interestingly, the *Calendar of Scottish Papers* interprets America as Lennox and names Elizabeth, Avdin.

123 "*Colville* (Grovelling)": When the link between Bothwell and the Catholic lords was discovered, Colville did save himself in this fashion. On September 24th Robert Cecil writes to Bowes, asking him how Colville managed to "weather the storm".

"He's jeynt the Papist Lords for Spanish gowd!" See Note, p. 120.

"Ye leear, ye did it for Bothwell and his English siller!": See Note, p. 47.

"To kidnap the young Prince and murder Hume and Maitland": See *Calendar of Scottish Papers*, XI, 439.

127 "Did she think for a meenit ...": On the other hand, James did give Phillip veiled support.

R.J.

APPENDIX ONE

Robert McLellan's Works

(This list is substantially complete, but omits some early works.)

Five Act Plays
  MARY STEWART
    GC, Festival of Britain Production.
Four Act Plays
  JAMIE THE SAXT
    1937 GL, Curtain Theatre Co., also 1946 GC, 1953 GC, 1956
    EL and GK, Sherek Players.
  THE HYPOCRITE+
    EL 1967
Three Act Plays
  TOOM BYRES+
    1936 GL, Curtain Theatre Co., also 1945 and 1954 GC.
  TORWATLETIE+
    1946 GQ, Unity Theatre. Also Edinburgh Festival Fringe,
    Edinburgh Pleasance Theatre, Embassy London, and GR.
  THE FLOUERS O EDINBURGH
    1947 EK, Unity Theatre, also GC, 1954 EG, and by EG at
    Edinburgh Festival 1958. Also SR.
  YOUNG AUCHINLECK
    EG at 1962 Edinburgh Festival. Also TV.
  PORTRAIT OF AN ARTIST (E)
    1939 GL, Curtain Theatre Co.
  THE ROAD TO THE ISLES (E)
    1954 GC, also 1956 GL.
One Act Plays
  JEDDART JUSTICE+
    (c 1934.)
  THE CHANGELING+
    (c 1935.)

THE CAILLEACH+
   (This, and THE SMUGGLER, "folk" plays for Arran drama
   festivals of the 1940's.)
THE SMUGGLER
In Verse
   THE CARLIN MOTH+
   SR 1946.
Plays For Radio
   AS ITHERS SEE US
   SR 1958, 1962.
   RAB MOSSGIEL
   SR 1959, also TV.
   THE OLD BYRE AT CLASHMORE (E)
   SR 1965.
Verse
   (apart from THE CARLIN MOTH, and some lyrics.)
   SWEET LARGIE BAY
   SR 1956 (Scottish Arts Council Poetry Prize 1956).
   ISLAND BURN
   TV 1965 and 1966.
Prose
   Twenty-four short stories in four series of six, with general
   early experiences of childhood as themes, SR 1960-65. Overall
   title LINMILL: only a few published. In Scots. The author
   himself feels that some of his best work is among these
   unpublished pieces.
NOTES
+   published.
E   in English.
GC   Glasgow Citizens Theatre.
GL   Glasgow Lyric Theatre.
EG   Edinburgh Gateway Theatre.
EL   Edinburgh Lyceum Theatre.
GK   Glasgow Kings Theatre.
GQ   Glasgow Queens Theatre.
GR   Glasgow Royal Theatre
EK   Edinburgh Kings Theatre.
TV   broadcast on television.
SR   broadcast on sound radio.

APPENDIX TWO

JAMIE THE SAXT was first performed in the Lyric Theatre, Glasgow, by the Curtain Theatre Company, in April, 1937, with the following cast:

RAB, *apprentice to Nicoll Edward*, Charles Howie

MISTRESS EDWARD, Janie Stevenson

BAILIE MORISON, *an Edinburgh shipping merchant*, John Morton

HER GRACE QUEEN ANNE OF SCOTLAND, *formerly Princess Anne of Denmark*, Pearl Colquhoun

MARGARET VINSTAR, *a lady-in-waiting*, Moira Clark

THE LAIRD LOGIE, *a gentleman of the King's chamber*, John Pollock

THE LORD ATHOLL, John Hollinsworth

THE LADY ATHOLL, Mary H. Ross

HIS GRACE KING JAMES THE SIXTH OF SCOTLAND, J. D. G. Macrae

BAILIE NICOLL EDWARD, *an Edinburgh cloth merchant*, Jack Maguire

THE LORD SPYNIE, *a gentleman of the King's chamber*, Douglas Fraser

JOHN MAITLAND OF THIRLESTANE, *the Lord Chancellor*, Ian McLaren.

THE LORD OCHILTREE, Robert C. Gaston

LODOVICK STEWART, *Earl of Lennox*, Brown Derby

SIR ROBERT BOWES, *resident Ambassador from Her Majesty Queen Elizabeth of England*, Guy Mitchell

FRANCIS STEWART, *Earl of Bothwell*, R. Douglas Robin

JOHN COLVILLE, *an accomplice of Bothwell's*, John Pollock

ROBERT BRUCE, *a preacher*, John Stevenson Lang

THE EARL OF MORTON, Bert Ross

SIR JAMES MELVILLE, J. Smith Campbell

The Earl of Morton's fair daughter, Nan Calder

Sir Robert Bowes' English servant, E. W. Avery

PRODUCER, Grace Ballantine
STAGE DIRECTOR, J. B. Russell
STAGE MANAGER, Ian Dow
LIGHTING AND SOUND, W. H. Nicolson
SCENIC DESIGN, Douglas N. Anderson
DECOR, Betty Henderson

ACKNOWLEDGEMENTS

The Editors wish to thank the Author, Robert McLellan, for his kind co-operation at every stage of the preparation of this edition. They also wish to thank Professor Gordon Donaldson and Mr E. J. Cowan for advice on some historical points.